Les

CW00862969

Auteur

Paul Kisakye est un écrivain ougandais, éditeur, et formateur. Il est l'auteur de *Tech Explorers League*, une collection de science fiction pour les enfants et un ouvrage de non-fiction *Prodigal Love*. Il est un lauréat d'African Writers Trust Publishing Fellow et a été sélectionné pour le Writivism Short Story Prize en 2013 pour la nouvelle « Emotional Roller Coaster ».

Les faiseurs de pluie

Paul Kisakye

Traduit de l'anglais par Marie Ndiaye

© Amalion 2020

Amalion
BP 5637 Dakar-Fann
Dakar CP 10700
Sénégal
http://www.amalion.net

ISBN 978-2-35926-104-2 (broché)
ISBN 978-2-35926-105-9 (ebook)

Conception de la couverture par Anke Rosenlocher

Tous droits de reproduction, de traduction, d'adaptation, de représentation réservés pour tous pays. Aucune partie de cet ouvrage ne peut être traduite, adaptée ou reproduite de quelque manière que ce soit sans l'autorisation d'Amalion.

Cet ouvrage a été réalisé dans le cadre du programme Culture at Work Africa mise en œuvre par la filière Arts et Culture de l'Université Abdou Moumouni, Niger en partenariat avec Amalion avec le soutien financier de l'Union européenne. Son contenu relève de la seule responsabilité de l'auteur et ne reflète pas nécessairement les opinions de l'Union européenne.

À Crispus, mon cher frère

1

Je m'assois dans mon lit et j'étire les bras. Le soleil du matin traverse déjà la fenêtre de ma chambre.

À l'idée d'une énième journée à jouer aux jeux vidéo chez Oncle James, je me dis : « Oh non ! Pas encore ! »

Je tire la couverture sur ma tête, j'essaie de dormir encore un peu. Mais je n'ai plus sommeil. Je ne dors jamais aussi longtemps pendant l'année scolaire. Je suis toujours debout à six heures et hors de la maison à six heures trente, juste à temps pour prendre le bus scolaire pour le lycée de Mukungu. À la fin de l'année scolaire, j'avais hâte de dormir toute la matinée. Mais maintenant, même dormir est devenu ennuyeux.

Frustré, je sors du lit et me précipite dans la salle de bains prendre une douche.

Après la douche, je descends et je découvre que Maman est déjà partie au travail. Parce que je me réveille tard, je ne la vois plus le matin. Papa est assis dans son fauteuil préféré. Il lit un livre.

« Bonjour Papa.

—Tendo ! Je vois que tu n'es toujours pas fatigué de te réveiller tard, dit Papa, levant les yeux de son livre, ses lunettes de lecture en forme de demi-lune à monture métallique à mi-hauteur de l'arête du nez. Tu vas devenir paresseux.

—Plus de grasse matinée pour moi. J'ai l'impression d'avoir dormi pour le reste des vacances.

—Bien ! Qu'est-ce que tu fais aujourd'hui ? »

Je me touche le menton, essayant d'imaginer quelque chose d'amusant à faire aujourd'hui. « La même chose qu'hier.

—Oh. C'était quoi ?

—La même chose que j'ai faite avant-hier. »

Papa hoche la tête. Il oublie vite et j'aime le taquiner à ce sujet.

« Ton oncle Moses vient nous rendre visite aujourd'hui, dit Papa. Je vais le chercher à l'aéroport cet après-midi.

—Oncle Moses vient nous rendre visite ? » je demande, surpris.

J'ai un peu entendu parler du frère aîné de Papa dans les histoires qu'il m'a racontées, mais je ne l'ai pas encore rencontré.

—Oui. Et il restera pour Noël.

—C'est vraiment cool ! »

Vivre dans une grande maison de quatre chambres avec seulement mes parents me fait sentir seul quelquefois. Parfois, je regrette d'être un enfant unique sans autre relation vivant à proximité. Aujourd'hui, je vais enfin rencontrer le frère de Papa. J'espère qu'il est aussi cool que mon père.

« J'aimerais que tu te comportes bien pendant son séjour ici.

—Oui Papa. »

Comme si je ne me comportais pas bien d'habitude…

En dehors de contourner les contrôles parentaux de mon téléphone et de ma tablette pour regarder des vidéos que, selon mes parents, un garçon de 15 ans ne devrait pas voir, je suis un gars cool.

Je déambule dans la cuisine et sors un bol du placard. J'y verse des Choco Pops, ouvre le frigo, sors du lait froid et y noie les Choco Pops. Avec une cuillère à soupe, je me gorge de céréales. Dix minutes plus tard, je sors de la maison, en route pour celle d'Oncle James.

****

Dr James Mugonyi, scientifique et inventeur primé, est le grand ami de Papa. C'est l'oncle que je n'ai jamais eu. Je le connais depuis aussi longtemps que je me souvienne. Son fils et sa fille, Kato et Babirye, sont jumeaux et sont aussi mes meilleurs et plus vieux amis. Quand nous étions petits, Maman ou Papa m'emmenaient à la maison d'Oncle James pour jouer avec les jumeaux, car nous avions le même âge. Je n'ai que trois mois de plus qu'eux.

La maison d'Oncle James se trouve dans une rue bordée de maisons identiques construites par la même société immobilière. Mes amis et moi adorons passer du temps chez lui, car il a la meilleure console de jeux vidéo qui soit. Et il n'est pas aussi sévère que mon père sur le temps passé à jouer aux jeux vidéo.

Dès que je sonne, la porte s'ouvre et Atlas, l'assistant virtuel d'Oncle James, me parle à travers des haut-parleurs cachés dans le mur.

« Tendo, dit Atlas d'une voix douce et féminine, tu es en retard. Trop dormi ?

—Ce sont les vacances, Atlas, je réponds en entrant dans la maison. La porte se ferme lentement derrière moi. C'est le seul moment où je dors sans modération.

—Ça fait quarante-huit minutes maintenant que tes amis t'attendent au sous-sol. »

Je me dirige directement vers le sous-sol, qui comporte ce qu'Oncle James appelle sa caverne, un centre de divertissement avec des gadgets de haute technologie tout droit sortis d'un film de science-fiction.

« Salut les gars ! »

Kunda, un petit gars qui se comporte toujours comme plus jeune que son âge, bien que plus âgé que nous tous, joue à un jeu de course automobile avec Kato, un garçon grand et maigre avec une silhouette athlétique. Babirye, qui se trouve aussi être la plus belle fille que j'aie jamais vue, fait la moue assise sur un tabouret, les bras croisés sur la poitrine.

« Je ne peux pas jouer seule avec ces gars-là, dit Babirye. Ils sont meilleurs que moi. Où étais-tu, Tendo ?

—Dans mon lit, dis-je. Où d'autre pourrais-je bien être ?

—Alors, tu vas aussi te joindre à eux ? » demande-t-elle.

En grandissant, elle était presque identique à son frère, mais au cours des deux dernières années, elle est devenue une jeune femme. Les angles de son corps se sont adoucis en courbes agréables. C'est toujours un garçon manqué qui aime porter les shorts et tee-shirts de son frère, mais elle a perdu son allure de garçon. De longs cils épais encadrent ses grands yeux bruns. Ses cheveux épais et bouclés sont apprivoisés en une queue-de-cheval.

Je cligne des yeux et m'impose de cesser de la fixer. J'ai beaucoup fait ça ces derniers temps ; je dois absolument arrêter de fixer Babirye. Kato et Babirye sont comme le frère et la sœur que je n'ai jamais eus, et au fil des ans, j'ai été le témoin de sa transformation de fille en femme. Mais, aujourd'hui, je ne peux m'empêcher d'être fasciné par sa beauté.

2

J'annonce : « Je ne joue plus. »

Kunda et Kato mettent leur jeu sur pause.

« Pourquoi ? » demande Kato, la surprise sur le front. Les mains de Kunda agrippent toujours la manette du jeu vidéo comme si sa vie en dépendait. « C'est parce que nous vous battons tout le temps ? » demande-t-il.

Aussi loin que je me souvienne, quand nous jouons aux jeux vidéo, Kunda fait toujours équipe avec Kato, et Babirye fait équipe avec moi. Babirye et moi sommes battus plus souvent que nous ne voulons compter.

—Je suis fatigué de jouer, dis-je. Nous devons trouver d'autres choses à faire.

—Mais, nous nous amusons », dit Kato.

Babirye, se tournant vers Kato : « Pas tous ! »

« Elle a raison », dis-je à Kato.

Kato pose les manettes du jeu vidéo et s'affale sur un pouf. Enlevant ses lunettes à monture noire, il les nettoie avec l'ourlet de son tee-shirt.

« Que proposez-vous que nous fassions ? demande-t-il à Babirye.

—On pourrait monter et regarder un film, dit une voix d'un coin sombre du sous-sol.

—Pas question que je regarde un autre film pour gonzesses, dit Kunda, croisant les bras sur son gros ventre.

—Sanyu ? Je cligne des yeux pour distinguer la forme sombre blottie dans le noir sur un autre pouf.

—Salut Tendo », dit Sanyu, la seule autre fille de notre groupe. Elle a un petit visage rond et ses cheveux sont nattés. Babirye l'a présentée à notre groupe pendant les dernières vacances, en partie parce qu'elle ne voulait pas être la seule fille du groupe, et en partie parce que Sanyu, étant nouvelle dans notre classe (sa famille a déménagé de Kampala il y a trois mois), n'a pas d'autres amis à l'école.

« Pourquoi tu te caches dans ton coin ? je demande à Sanyu.

—Puisque vous ne me laissez jamais jouer aux jeux vidéo avec vous, j'ai pensé que je pouvais aussi bien me mettre à hiberner. »

"Hiberner", c'est le mot à la mode du monde enchanté de Sanyu. Elle fait beaucoup ça : elle se replie sur elle-même et commence à échafauder des théories de physique folles. Pas étonnant qu'elle soit la fille la plus intelligente de notre classe. Elle l'a dominée au dernier trimestre, qui était aussi son premier. Maintenant, tout le monde se demande si notre école est au même niveau académique que les écoles de la capitale, d'où vient Sanyu.

« Tu aurais pu jouer à ma place », je marmonne, embarrassé. Mais personne ne m'entend.

Lorsque Sanyu nous a rejoints, elle a déséquilibré notre groupe soudé. Il est désormais difficile de l'intégrer à une équipe. Celle de Kato-Kunda, bien qu'elle soit meilleure aux jeux vidéo que l'équipe Tendo-Babirye, n'a pas voulu que Sanyu se joigne à nous car, selon eux, ce serait injuste.

Pour corser les choses, Kato a commencé à sortir avec Sanyu. Nous nous comportions tous comme si c'était la chose la plus normale du monde, mais je savais que nous trouvions tous bizarre de voir les deux tourtereaux, leurs mains entrelacées chaque fois que nous sortions. Pour la première fois de sa vie, Babirye avait enfin un meilleur ami qui se trouvait être une fille, et voilà que son frère s'en allait la draguer. Elle a appelé ça "amour d'adolescent" et a laissé entendre que ça ne durerait pas.

« Tu vois, dit Babirye, se levant, brusque et agitée, même Sanyu trouve les jeux vidéo ennuyeux !

—C'est parce qu'elle ne joue pas. Et ce serait injuste pour n'importe quelle équipe si elle se joignait à l'autre équipe », dit Kunda.

Toujours insensible Kunda, sans tact. Aucune intelligence émotionnelle. Mais ça, je ne peux pas le dire à voix haute, de peur de perturber encore plus notre groupe.

« Ensuite, je suggère également que nous trouvions quelque chose à faire que nous apprécierons tous, dit Sanyu. Elle se dirige vers nous pour pouvoir participer à la conversation.

—Ça fait trois contre deux, dis-je. Si nous voulons être démocratiques, nous devons cesser de jouer aux jeux vidéo.

—Mais nous allons nous ennuyer, se plaint Kato.

—Nous nous ennuyons déjà, ironise sa sœur.

—Donc, à part regarder des films pour gonzesses, dit Kunda, que proposez-vous que nous fassions ?

—Personnellement, j'aimerais apprendre à cultiver de mes mains, dit Sanyu. Bien sûr, théoriquement, je sais comment le faire, et je sais aussi que plus personne ne pratique vraiment l'agriculture avec ses mains. Mais j'adorerais essayer de faire pousser quelque chose par moi-même.

—Et comment penses-tu t'y prendre ? demande Kato, qui ne semble pas convaincu.

—Nous pourrions aller à la ferme du père de Tendo. Je suis sûr qu'il a des graines que nous pouvons utiliser. Je pense que ce sera une aventure.

—Je déteste l'agriculture », déclare Kunda.

Je lui demande :

« Tu en as déjà fait ?

—Non, mais ça implique de se salir les mains.

—Je vais te trouver des gants », dis-je.

« Allons-y ! » exulte Babirye, enthousiaste.

3

La porte de la caverne s'ouvre et Oncle James entre. C'est un vieil homme grand et maigre avec d'épaisses lunettes à monture noire. Son visage est comme celui de Kato, passé dans une application vieillissante, lunettes et tout. Il est toujours vêtu d'un tee-shirt noir, d'un jean bleu et de chaussures Oxford noires. Une fois, je lui ai demandé pourquoi il s'habillait toujours les mêmes façons ; il m'a répondu qu'il devait prendre tant de décisions chaque jour, qu'il ne voulait pas que la question de savoir comment s'habiller en fasse partie.

« Pas de jeux vidéo ce matin ? nous demande-t-il.

—Certaines personnes sont fatiguées de jouer », explique Kato.

D'une voix joyeuse, Sanyu ajoute : « Nous allons faire de l'agriculture !

—Je pense que ce sera beaucoup plus amusant que les jeux vidéo, dit Oncle James. Vous allez à la ferme du père de Tendo pour faire cette agriculture, non ?

—Oui, dis-je. C'est là que nous allons maintenant.

—Je dépose quelques trucs à l'atelier de réparation de Makanika. Je pourrais vous emmener jusque-là si vous voulez.

—Merci, Oncle James », dis-je.

Oncle James se dirige vers ses unités de stockage à l'extrémité du sous-sol, en ouvre une et en sort quatre boîtes, une par une, et les place sur une table. Chaque boîte a à peu près la taille de ma table de chevet.

« Papa, on peut t'aider à les transporter dans la voiture ? dit Kato.

—Oui, merci », dit Oncle James.

Je prends une boîte. Kunda et Kato prennent les deux autres. Babirye part ramasser la quatrième, mais Sanyu est plus rapide.

« Waouh ! C'est lourd ! crie Kunda. Qu'y a-t-il à l'intérieur, Oncle James ? »

Oncle James ouvre le chemin vers l'avant de la maison où l'attend sa fourgonnette.

« Des Rainmakers, des "faiseurs de pluie", répond-il.

—Des faiseurs de pluie ? dit Babirye. Ils font de la pluie ?

—Quelque chose comme ça. Ils ne fabriquent pas réellement de pluie. Ils utilisent ce qu'on appelle les rayons omicron pour déplacer les nuages d'un endroit où il va pleuvoir vers un autre où tu veux qu'il pleuve.

—C'est génial ! Alors pourquoi les emmenez-vous à l'atelier de Monsieur Makanika ?

—Je ne peux pas les utiliser, dit Oncle James. Je n'ai pas réussi à obtenir une licence pour le faire. Ils disent que des agriculteurs malveillants pourraient s'en servir pour détruire les fermes de leurs concurrents en redirigeant la pluie. Cela donnerait un avantage indu à quiconque peut se le permettre. »

Nous chargeons les Rainmakers dans le coffre de la voiture.

« Place du mort ! » crie Kato et il court vers le côté passager de la fourgonnette.

Sa sœur secoue la tête. « Les garçons ! » marmonne-t-elle.

Oncle James s'installe sur le siège du conducteur. Le reste d'entre nous embarque et nous nous dirigeons vers l'atelier de réparation de Monsieur Makanika.

« Papa ? dit Babirye, alors qu'Oncle James rejoint Main Street. Et si un endroit n'a pas eu de pluie depuis longtemps et qu'il en a vraiment besoin, les Rainmakers pourraient-ils aider ?

—C'est ce que j'ai dit au gouvernement, répond Oncle James. Ils m'ont répondu que l'irrigation fonctionnait bien jusqu'à présent. Ils ne voient pas pourquoi les gens ne l'utilisent pas à la place des Rainmakers.

—C'est quoi l'irrigation ? demande Kato.

—Mec, tu ne connais pas l'irrigation ? Voilà pourquoi tu dois apprendre l'agriculture » je le taquine.

Babirye, se tournant vers son frère assis sur le siège passager, dit :

—L'irrigation, c'est tout simplement l'arrosage des plantes grâce à un système qui fait circuler l'eau d'un endroit à un autre, idiot. Puis, revenant au sujet précédent, elle ajoute : Je pense que le gouvernement a juste peur que la technologie des Rainmakers soit perturbatrice.

—Tu es une fille intelligente, Babirye », dit Oncle James.

Babirye s'illumine. Ses grands yeux bruns scintillent.

Et je ne sais pas pourquoi, mon cœur s'emballe.

Nous arrivons à l'atelier de réparation de Monsieur Makanika, un grand entrepôt où on peut acheter d'occasion et faire réparer tout ce qui est électronique. La porte de l'atelier de réparation s'ouvre automatiquement et Oncle James entre.

L'atelier a de grandes étagères industrielles métalliques remplies d'appareils ménagers et industriels d'occasion et de pièces détachées.

« Dr James ! dit Monsieur Makanika depuis son bureau situé dans le coin de l'entrepôt. J'avais le sentiment que ce serait vous ! Comment allez-vous ? »

Monsieur Makanika, un homme d'âge moyen, un peu fort, avec un visage toujours renfrogné, se tient à l'entrée de son bureau. Il est vêtu d'une salopette de travail bleu foncé avec un nom, Musa, inscrit au pochoir à la gauche de sa poitrine. Je n'ai jamais entendu quelqu'un l'appeler Musa.

Kunda, Kato et moi sortons les cartons de Rainmakers du coffre de la voiture. Oncle James récupère le dernier et nous conduit au bureau de Monsieur Makanika.

L'attention de ce dernier est attirée par les cartons que nous portons. Il demande :

« Qu'avez-vous pour moi aujourd'hui ?

—Des faiseurs de pluie, répond Kunda.

—Qu'est-ce que c'est ?

—Ils font de la pluie, mais Papa ne peut pas les utiliser », dit Babirye.

Monsieur Makanika demande pourquoi et elle lui dit.

—Hum…, dit Monsieur Makanika en grattant sa barbe grise. Ça veut dire que je ne peux pas les mettre en ligne et les vendre tels quels ?

—Non, tu ne peux pas, dit Oncle James. Mais tu peux les démonter et vendre les pièces. La moitié des matériaux que j'ai utilisés pour les fabriquer provenait de ta boutique. C'est pourquoi je te les ai rapportés. »

4

Mukungu est une ville du nord-est de l'Ouganda. La ville a une rue principale, ce qui facilite la circulation : pas besoin de Google Maps. Main Street divise la ville en deux. Le côté nord est constitué d'un ensemble de maisons identiques à deux étages, toutes construites par la même société et abritant les membres les plus riches de la communauté. C'est là que vivent Kato et Babirye. Côté sud, il y a l'école primaire de Mukungu, le cours secondaire de Mukungu, le stade de Mukungu et deux domaines agricoles, dont l'un appartient à mon père.

À l'arrivée des grandes chaînes de supermarchés (l'un d'eux est situé à la périphérie de la ville et est proche d'autres grandes localités), la plupart des magasins bordant les deux côtés de la rue principale ont été transformés en appartements. C'est ici que vivent Kunda et Sanyu. La mère de Kunda, avocate, emploie une baby-sitter pour s'occuper de son fils chaque fois qu'elle voyage pour affaires, c'est-à-dire presque tout le temps. Sanyu avec son père au chômage, son écrivaine de mère et ses trois jeunes frères vivent tous dans un appartement de deux chambres.

« Prenez un scooter et allons faire un tour », dis-je à mes amis.

Nous marchons de l'atelier de Monsieur Makanika à mon domicile et allons maintenant à l'atelier de Papa, un entrepôt situé derrière le bâtiment principal de notre domaine. C'est là que Papa travaille la plupart du temps et qu'il entrepose le matériel agricole. C'est un peu le centre de contrôle de sa ferme.

La ferme de mon père est si grande (six cent hectares, selon certains documents officiels que j'ai vus) qu'il a besoin de drones pour superviser le travail qu'il y effectue. Lorsque sa présence physique est nécessaire dans n'importe quelle partie des vastes terres agricoles, il y a des légers et petits quads scooters électriques qu'il utilise pour se déplacer. De temps en temps, des clients, des collègues agriculteurs ou des représentants du gouvernement viennent visiter sa ferme. Ces jours-là, les scooters sont très utiles.

Aujourd'hui, ils nous seront utiles. Avant de nous essayer à l'agriculture, nous allons faire un tour de la ferme. Papa ne me laisserait jamais conduire un de ces scooters sans lui pour me surveiller et veiller que je ne me blesse pas. Il oublie que je suis maintenant assez grand pour bien prendre soin de moi.

Papa est allé chercher Oncle Moses à l'aéroport, et Maman est au travail. Cela signifie que nous avons tout le domaine pour nous et que nous pouvons faire ce que nous voulons.

« Je pensais que nous étions ici pour faire de l'agriculture, dit Sanyu.

—C'est vrai, dis-je. Mais d'abord, nous allons nous amuser.

—Donc, l'agriculture n'est pas amusante ?

—Je n'ai pas dit ça.

—C'est bien ce que tu voulais dire.

—D'accord. Parfois, j'ai envie d'envoyer promener Sanyu pour être si intelligente et si pompeuse. Nous allons faire de l'agriculture, ce qui est en fait très intéressant. Mais d'abord, nous allons faire un tour avec ces scooters. Je pense que ce sera aussi très amusant. Alors, tout le monde, à vos scooters !

—Je ne pense pas pouvoir le conduire, dit Sanyu.

—Ne sois pas drôle, lui répond Babirye.

—Mais je n'en ai jamais conduit un scooter, dit Sanyu, le front marqué d'inquiétude. La dernière fois que j'ai fait du vélo, c'était il y a cinq ans.

—Tu es la fille la plus intelligente que je connaisse. Je suis sûre que ce ne sera pas si difficile pour toi.

—Eh bien, si tu le dis !»

Sanyu monte délicatement sur un scooter et s'assied sur le siège.

Nous autres, montons également sur nos scooters et les mettons en marche.

« Hé ! », s'exclame Sanyu, alors que son scooter vibre dès qu'elle le démarre.

Puis elle jaillit en hurlant par la porte de l'atelier.

Nous éclatons de rire.

« Allons la chercher avant qu'elle ne se blesse ou ne cause des dommages à quelque chose », dis-je.

Je montre la voie et nous nous dirigeons vers la ferme.

Sanyu, n'ayant pas réussi à contrôler son scooter, a fini par faire des ravages dans son sillage. Partout où elle est passée, elle a laissé des tiges de maïs pliées sur son chemin.

« Oh non ! Ce n'est pas cool du tout ! » remarque-je.

Baaaang !

Le bruit sourd au loin me fait tressaillir.

« Sanyu ! », je crie.

Pas de réponse.

5

« Sanyu doit être blessée, dit Babirye. Trouvons-la ! »

Nous conduisons nos scooters en file indienne à travers les tiges de maïs détruites, empruntant le même chemin que Sanyu.

J'appelle à nouveau : « Sanyu ? »

Elle ne répond toujours pas.

Que lui est-il arrivé ? Je commence à avoir peur, à craindre le pire. C'était mon idée. Et voilà qu'elle a peut-être percuté quelque chose et s'est blessée.

« Sanyu ? » crie Babirye. Il y a un trémolo dans sa voix.

Mon esprit s'emballe, imaginant toutes sortes de choses terribles que nous pourrions trouver au bout de la traînée de maïs détruit.

Après environ trois minutes à vitesse vertigineuse sur nos scooters, nous la retrouvons enfin.

Elle est allongée par terre, une partie de scooter au-dessus d'elle tournant au ralenti. Des tiges de maïs sont tombées dessus.

Babirye murmure, se met à genoux et touche délicatement la tête de Sanyu. Elle crie : « Sanyu ? Noooooon ! »

Kunda, Kato et moi descendons également de nos scooters et nous nous approchons. Kunda et Kato déplacent le scooter de Sanyu, qui reste immobile. Son tee-shirt rose et son jean sont maintenant tachés et il y a de la terre sur sa joue gauche.

Ça ne me dit rien de bon.

Une capsule de végétaux est posée à terre à quelques mètres. Le petit cylindre a une légère fissure et un liquide verdâtre en suinte. Voilà ce sur quoi Sanyu s'est écrasée.

Babirye est figée, les yeux écarquillés comme des soucoupes, sa mâchoire tombant presque au sol. Kato s'accroupit et met son bras autour d'elle. « Ça va aller. Tout va bien », lui murmure-t-il à l'oreille.

Puis il s'assied par terre, soulève la tête de Sanyu et la pose sur ses genoux. Avec son pouce, il essuie la tache de terre sur sa joue.

Kunda est à califourchon sur son scooter et regarde fixement, les mains jointes sur son ventre.

Je mets deux doigts sur le cou de Sanyu, cherchant l'artère carotide. Son cœur bat régulièrement. Je suis surpris du calme qui m'envahit.

« Elle est morte ? murmure Babirye.

—Non, dis-je. L'impact de la chute a dû l'assommée. Je secoue doucement ses épaules et dis : Sanyu. Sanyu. Réveille-toi ! »

Les paupières de Sanyu papillonnent, puis elle ouvre les yeux. « Qu'est-ce qui vient de se passer ? » dit-elle dans un murmure croassant.

Babirye hurle, repousse Kato et serre Sanyu fort dans ses bras.

Cette dernière lève lentement ses bras et les met autour de la fille hystérique. « Attention, Babirye, dit Sanyu. Je pense avoir froissé une côte ou quelque chose comme ça. Zut ! J'ai mal à la tête !

Babirye, les deux mains sur l'épaule de Sanyu, la regarde, les sourcils froncés. « Sanyu, ça va ? Tu t'es évanouie !

—Je vais bien, dit Sanyu en souriant. Juste un peu étourdie, mais ça passera avec un peu de repos. Je vais bien. Je le jure, les gars. Pas besoin de vous inquiéter.

—Je suis ton copain. Bien sûr que je m'inquiète. »

Sanyu soupire et roule ses yeux.

« Regardez, les gars, je vais bien. Il faut probablement que je rentre tôt à la maison.

—Tu es sûre de ne pas vouloir aller à l'hôpital pour te faire examiner ? demande Kato.

—Arrête, Kato ! Sanyu élève la voix. Je ne l'ai jamais entendue agir ainsi auparavant. Tu ne me connais que depuis quelques mois et maintenant tu penses tout savoir sur moi ? Si je dis que je vais bien, c'est que je vais bien. J'ai déjà mes parents qui s'inquiètent pour moi. Je ne demanderai jamais à mes amis de le faire aussi. Maintenant, pouvons-nous oublier ce qui s'est passé et avancer ? »

Personne ne dit un mot pendant quelques instants. Kunda est toujours assis à califourchon sur son scooter, les mains jointes sur son ventre, mais maintenant sa bouche est également ouverte. Les mâchoires de Kato sont crispées et immobiles. Je pense qu'il grince des dents et force sa bouche à rester fermée pour ne pas dire ce qu'il pense. Le front de Babirye est toujours plissé, mais je ne peux pas imaginer ce qui se passe dans son esprit.

Finalement, je brise le silence et dis : « Sanyu, peux-tu te lever et essayer de marcher ? »

Sanyu tente de se mettre debout en prenant appui sur ses bras, mais n'y arrive pas. « Donnez-moi un coup de main, les gars », dit-elle.

Kato et moi plaçons nos mains sous les aisselles de Sanyu et la soulevons. Elle trébuche un peu, mais finit par reprendre pied.

« Vous voyez ? dit-elle, levant les bras et tournoyant maladroitement, un sourire en coin collé sur son visage. Je vais parfaitement bien !

—On a un problème, dis-je. La maison est trop loin pour que tu puisses rentrer à pied. Peux-tu utiliser le scooter ?

—Bonne idée Tendo, dit Sanyu. Dans quoi voudrais-tu que je m'écrase cette fois-ci ? Montre-le-moi ! »

Nous rions tous. L'accident est vite oublié.

« Je suis désolée, les gars, dit Sanyu, mais je ne monterai pas de sitôt sur un scooter. Allez-y. Je vous rejoins.

—Montes sur mon scooter. Tant que tu te tiendras fermement à moi, nous arriverons à l'atelier en toute sécurité, dit Kato.

—Merci, Kato », dit Sanyu en se posant avec précaution sur le scooter.

Je fixe le scooter de Sanyu à l'arrière du mien.

Puis nous partons pour la maison.

Après avoir rangé les scooters dans l'atelier et nettoyé autant que possible nos vêtements, nous nous dirigeons vers la maison.

Un rire tonitruant retentit.

« Où est mon neveu favori du monde entier ? » demande une voix profonde et forte.

Oncle Moses est à la maison.

6

« John ! Tu m'avais dit que je n'avais qu'un seul neveu ! »

Mes amis et moi, nous tenons devant un homme gigantesque qui semble nous inspecter. Oncle Moses a un sourire niais sur le visage.

« C'est vrai, Moses, dit Papa. Sa tête est enfouie dans le réfrigérateur qu'il fouille pour trouver quelque chose à boire. C'est ton neveu Tendo et ses amis.

—On dirait que vous avez fait des bêtises à la ferme, à en juger par vos vêtements sales, hein ? Alors, lequel d'entre vous est Tendo ? »

Je lève la main comme si j'étais en classe et proposais de répondre à une question posée par le professeur. Oncle Moses fait un pas en avant et m'écrase les côtes dans un sacré câlin. Je peux sentir les muscles fermes de son torse à travers le tee-shirt blanc moulant qu'il porte.

« Regarde comme tu as grandi ! dit-il d'une voix retentissante qui menace de m'éclater les tympans. Il me tient à bout de bras, m'inspecte et continue. La dernière fois que je t'ai vu, tu étais un tout petit bébé de moins d'un an. Tu te souviens de moi ? »

Je secoue la tête. Je n'ai aucun souvenir de ce type. Du coin de l'œil, je peux voir Babirye rouler des yeux.

« Allez, présente-moi à tes amis », dit Oncle Moses.

Papa donne à Oncle Moses une canette de boisson énergisante, du genre que je n'ai pas le droit de boire. Papa en prend rarement. Il doit parfois jeter les canettes périmées. C'est seulement Maman qui en boit quand elle doit travailler toute la nuit.

« Tiens ! dit-il à Oncle Moses. Je sais à quel point tu aimes les boissons énergisantes. »

Oncle Moses ouvre la canette avec de grandes mains musclées, prend une gorgée de boisson glacée, puis claque des lèvres. Sa langue sort pendant une seconde, lèche une goutte de boisson énergisante sur sa moustache, puis disparaît dans sa bouche.

Je me rends compte que je fixe mon oncle et je baisse les yeux sur la moquette.

« Oh John, dit Oncle Moses, se retournant pour s'adresser à Papa, le garçon est timide. »

Mais je ne suis pas timide ! Je suis juste curieux. Quelque chose ne va pas avec l'œil gauche d'Oncle Moses ! Est-ce qu'il continue de le cligner ? Est-il un peu plus gros que le droit ? Ou est-ce que mes yeux me jouent des tours ?

Me raclant la gorge, je fais la présentation : « Voici Babirye, son frère jumeau Kato, Kunda et Sanyu. »

Soudain, un bip retentit.

« Qu'est-ce que c'est ? » dit Oncle Moses.

Papa sort son téléphone de sa poche. Le bip est une notification.

« Oh non ! dit-il, ses yeux s'écarquillant alors qu'il regarde l'écran clignotant de son téléphone.

—Qu'est-ce que c'est, Frangin ? demande à nouveau Oncle Moses en tendant le cou pour voir ce qu'il y a sur le téléphone de Papa.

—C'est une alerte rouge, répond Papa. Quelque chose ne va pas à la ferme !

Oh oh ! On a des problèmes ! »

7

Papa se précipite hors de la maison. Il garde les yeux rivés sur son téléphone alors qu'il fait irruption dans l'atelier Mes amis, Oncle Moses et moi sommes tout près derrière lui.

« Sais-tu quel est réellement le problème ? demande Oncle Moses.

—Je n'en suis pas sûr, dit Papa, mais je pense qu'une capsule de végétaux a mal fonctionné. Je vais sur le terrain pour vérifier.

—Je viens avec toi, dit Oncle Moses. Mais la capsule de végétaux, c'est pour faire quoi ? »

Papa fouille dans son bureau pendant qu'il parle.

« C'est un petit réservoir cylindrique pour les trois principaux éléments nutritifs des plantes : l'azote, le phosphore et le potassium. Il arrête de chercher et regarde son bureau. Où est cette boîte à outils ?

—Peut-être devrais-tu d'abord désactiver ce bip pour penser clairement ? dit Oncle Moses.

—Oh, j'avais oublié. Papa éteint son téléphone.

—Je pense que je l'ai vue sur une table quelque part. Laisse-moi la trouver pour toi. »

Alors que je cherche la boîte à outils de Papa, lui continue :

« Eh bien, la capsule de végétaux régule essentiellement la quantité de nutriments qui pénètre dans le sol. Tu la configures de manière que tes plantes n'obtiennent que la quantité requise de nutriments, ni plus, ni moins. Cela t'aide à obtenir le rendement exact de la plante. Avec la capsule de végétaux, je peux en fait prédire exactement de combien de tonnes de maïs je disposerai après la récolte.

—Que se passe-t-il lorsque la capsule de végétaux fonctionne mal ? demande Babirye.

—Soit la capsule de végétaux libère plus de nutriments que nécessaire, soit elle absorbe les nutriments du sol, explique Papa. C'est comme la malnutrition chez les êtres humains. Manger trop conduit à l'obésité. Manger trop peu conduit à la malnutrition et aux maladies. Ainsi, les plantes peuvent devenir malades. Et certaines de mes plantes commencent à présenter des symptômes de maladie. Tendo, tu n'as pas trouvé cette boîte à outils ? »

Je l'ai déjà trouvée. Je la tiens à la main. Mais je reste figé par ce que vient de dire Papa.

L'accident de Sanyu aurait-il pu rendre les plantes de Papa malades ? De quel genre de maladie s'agit-il ? Toutes les plantes vont-elles mourir ? Je sais ! Je suis le fils d'agriculteur qui ne connaît rien à l'agriculture.

J'ai trop peur pour poser des questions. Je m'approche doucement et donne la boîte à outils à Papa.

« Est-ce que ça va ? » me demande Papa.

Je hoche la tête, puis retrouve la voix et dis : « Oui ».

Papa se retourne et se dirige vers les scooters. Il en prend un et le fait démarrer. Kunda, Babirye, Kato, Oncle Moses et moi montons chacun sur un scooter. Sanyu reste à l'écart, comme si les scooters étaient infestés de cafards.

Papa sort le premier de l'atelier.

Puis il s'arrête si brusquement que je le percute presque.

Les ravages causés par Sanyu s'étalent devant nous. Papa les regarde, sourcils froncés.

Je sais que la ferme est parfaitement quadrillée par des routes goudronnées. Lorsqu'on la voit d'en haut, photographiée par un drone, c'est une merveille géométrique. Mais aujourd'hui, il y a un chemin moche, imprévu et tortueux à travers les tiges de maïs.

« Waouh ! dit Oncle Moses de sa voix forte. C'est la capsule qui a fait ça ? »

Je voudrais que mon oncle se taise.

Papa secoue lentement la tête. Enfin, d'une voix à peine audible, il dit :

« Tendo, qu'est-ce que tu as fait ?

—C'est ma faute, Monsieur Katende, dit Sanyu. Je peux vous expliquer. »

8

Sanyu surgit devant nous alors que nous examinons les plants de maïs détruits. Personne ne l'a entendue s'approcher. Alors, quand elle parle, tout le monde, y compris Oncle Moses, manque de tomber de son scooter.

Sanyu raconte ce qui s'est passé et s'excuse avec profusion. Sa voix est pleine de remords. Elle a des larmes aux yeux et des lèvres qui tremblent.

Quand Sanyu a fini de se confesser, un silence tombe sur nous, inconfortable, et qui se prolonge pendant de longues minutes.

« Nous sommes vraiment désolés, Papa. Nous ne le recommencerons plus.

—Tu peux en être sûr, mon fils, dit Papa. À partir de maintenant, aucun de vous n'est autorisé à s'approcher de ma ferme sans ma permission et ma supervision. »

Je suis trop occupé à scruter les minuscules pierres sur le sol pour répondre à mon père.

« De plus, je pense qu'il est temps pour vous de rentrer. »

Nous faisons demi-tour pour reprendre nos scooters.

« Pas toi, Tendo, dit Papa. Je veux que tu viennes voir les résultats de votre travail. »

Avant de partir, je sens la main de Babirye serrer le haut de mon bras.

« Au revoir, Tendo », murmure-t-elle.

J'ai fait une grosse bêtise. Ce n'est pas ce que j'avais prévu de faire aujourd'hui. Si seulement nous étions restés chez Oncle James à jouer aux jeux vidéo ennuyeux…

J'essaie d'avaler la boule dans ma gorge. Je repousse mes larmes. Je dois me rappeler que j'ai quinze ans et que les grands garçons ne pleurent pas.

Papa redémarre son scooter et se précipite vers la capsule endommagée. Oncle Moses le suit. Je redémarre mon scooter à contrecœur pour les suivre, sachant très bien ce que nous allons trouver.

Je tourne la tête pour regarder vers l'atelier et revoir une dernière fois mes amis. Mais ils sont déjà partis.

Au moment où j'arrive sur les lieux de l'accident, Papa est à genoux et dévisse la capsule de végétaux. Oncle Moses est debout à regarder, les bras ballants.

Papa examine la capsule de végétaux et secoue la tête. « Regarde ce que vous avez fait », me dit-il.

Le fluide vert qui suintait de la capsule de végétaux s'est infiltré dans le sol. Un sifflement provient de la capsule. Les tiges de maïs environnantes commencent à jaunir à partir des racines.

« Je suis désolé, Papa », je répète encore.

Papa soupire et dit : « Excuses acceptées. Je voulais juste que tu voies les conséquences de vos actions imprudentes. »

Je n'ai rien à dire. Je baisse la tête de honte.

****

Plus tard dans la nuit, on frappe à la porte de ma chambre. Puis la porte s'ouvre et Oncle Moses entre. Tout est bruyant chez lui, même sa façon de bouger.

« Comment va mon neveu préféré du monde entier ? » dit-il.

Je m'assois sur mon lit. J'ai essayé de trouver le sommeil, et maintenant les chances d'y arriver s'envolent.

Oncle Moses s'assied si lourdement sur mon lit que les ressorts du matelas grincent. Puis il met une boîte dans mes mains. « Cadeau de Noël anticipé, dit-il. J'ai pensé qu'après ce qui s'est passé aujourd'hui, je ne devrais pas attendre Noël pour te le donner. Tu as vraiment besoin de te remonter le moral. J'espère que ça t'aidera. »

Je tiens soigneusement la mince boîte blanche dans mes mains, me demandant ce qu'il y a à l'intérieur.

« Vas-y ! Ouvre-la ! »

Enthousiaste, je suis maladroit avec la fermeture ; je la casse et ouvre la boîte. À l'intérieur se trouve une tablette informatique noire de sept pouces. J'ai déjà une tablette. La dernière chose que je veux, c'est bien une autre tablette de plus ! Je garde la tête basse pour éviter de regarder mon oncle dans les yeux. S'il m'avait donné une voiture ou une moto... Plus intéressant pour un jeune homme en pleine croissance.

« Tu n'es pas content ? Oncle Moses semble lire dans mes pensées.

—Eh bien, c'est un très beau cadeau. Je ne veux pas que vous pensiez que je ne suis pas reconnaissant. Mais j'ai déjà une tablette. Ce n'est pas de votre faute, vous n'aviez aucun moyen de le savoir. Mais, merci encore.

—Allume-la ! »

Je ne suis pas d'humeur à amadouer mon oncle. Mais si je lui fais un peu plus plaisir, peut-être qu'après il me laissera retourner chercher le sommeil. Je touche le bouton en bas de la tablette pour l'allumer.

Oncle Moses dit : « J'ai pris la liberté d'y télécharger des jeux auxquels, je pense, tu n'as pas encore joué. Ce sont les derniers. »

L'écran s'allume et affiche les icônes de nombreux jeux dont, pour la plupart, je n'ai jamais entendu parler. Au moins, mon oncle n'a pas choisi des jeux que j'ai déjà. J'espère maintenant qu'ils sont aussi cool que ceux de mon ancienne tablette.

« Sélectionne un jeu auquel tu aimerais jouer », dit Oncle Moses.

J'en sélectionne un sans même lire de quoi il s'agit.

Soudain, toute la pièce s'éclaire, comme si l'écran de la tablette était un projecteur.

Mes yeux s'écarquillent et la mâchoire m'en tombe.

Ça, c'est une tablette ! Je n'en ai jamais vu en vrai comme celle-là, mais j'ai lu des articles à ce sujet sur Internet, et il y a quelque temps, j'ai trouvé le courage de demander à Papa de m'en acheter une.

Je tends l'index et perce l'air, sélectionnant un menu d'options. Soudain, je ne suis plus dans ma chambre. Je suis dans un tout autre monde. C'est bien plus cool que les jeux de réalité virtuelle auxquels mes amis et moi jouons dans l'appartement de Kunda, ou même les jeux vidéo de chez Oncle James.

« As-tu déjà joué à un jeu holographique ?» demande Oncle Moses.

9

Je ne peux pas dormir.

Au moment où les rayons du soleil traversent les rideaux de la fenêtre de ma chambre, je commence ma troisième partie de la nuit. Au début, c'était bizarre de travailler avec les hologrammes. Mais au bout de quelques heures, je suis tellement habitué à ramasser des armes, des voitures et des nouvelles vies, que cela me paraît plus réel que les meubles de ma chambre.

« Tendo ? Papa appelle. Il passe sa tête par la porte de la chambre qui est entrouverte. Hé ! Qu'est-ce que c'est ? »

Avec mon pistolet holographique, je continue à tirer sur les méchants du jeu.

Papa pousse un peu plus la porte et entre. Il m'observe pendant un moment. Je peux sentir son regard sur ma nuque.

Soudain, l'hologramme disparaît.

Pendant quelques secondes, je me fige. Je tiens une arme qui n'est plus là, et mes adversaires ont disparu. Puis je réalise ce qui vient de se passer. Je demande :

« Pourquoi avez-vous fait ça ? »

—Il est dix heures du matin, dit Papa. Tu ne prends pas ton petit-déjeuner ?

—Ah, d'accord.

—As-tu dormi la nuit dernière ? J'ai entendu des voix dans ta chambre.

Je me mets à compter les carreaux sur le sol.

—Je suppose que le cadeau de ton oncle était trop irrésistible ?

—Ça va », dis-je en haussant les épaules. Je sais que vous n'aimez pas quand je joue trop longtemps aux jeux vidéo. Je voulais juste essayer quelque chose de nouveau.

—J'ose espérer que je n'aurai pas à le confisquer. Descends pour le petit déjeuner. Après, peut-être pourras-tu retourner pour dormir. Tu as l'air horrible. »

Papa part. Je suis irrité qu'il oublie parfois que je ne suis plus un enfant à qui on donne des ordres.

Je regarde la tablette que mon oncle m'a donnée hier soir. Ai-je vraiment passé une nuit entière à jouer avec ? Comment le temps peut-il passer aussi vite ?

Soudain, alors que la montée d'adrénaline de la nuit s'estompe, je me sens tellement épuisé. Je me laisse tomber sur mon lit, sans prendre la peine de descendre pour le petit-déjeuner.

****

Je rêve que je me bats avec les méchants. Ça semble trop réel. Leurs balles m'ont blessé. Je commence à saigner. Puis je me sens faible et je tombe à terre. Mais les balles continuent de pleuvoir. Heureusement, maintenant que je suis au sol, la plupart d'entre elles sifflent devant moi.

Mais la douleur est insupportable.

Et ce sang !

Le sang est partout ! Mes vêtements en sont trempés. Est-ce réellement mon sang ?

Et cette fois-ci, pas de boutons d'hôpital sur lesquels je peux appuyer pour avoir une nouvelle vie.

Tandis que je saigne, je sens la vie s'échapper de mon corps.

Puis ma vision devient floue. Et les balles s'arrêtent.

J'essaie d'appeler à l'aide, mais aucun son ne sort de ma gorge. J'ai l'impression qu'un rocher a été placé sur mon cou.

Un des méchants se tient au-dessus de moi ; ses traits grotesques se tordent de haine. L'éclat de ses yeux transperce mon crâne.

Pourquoi je tirais sur ce méchant ? Et pourquoi ce dernier me déteste-t-il tant ? N'est-ce pas juste un jeu ?

Il ouvre la bouche, révélant des dents pourries et une langue verte.

Il siffle : « MEURS ! »

Puis il plaque le canon de son gros pistolet sur mon visage et appuie sur la détente.

Soudain, je suis assis sur mon lit, en frissonne. Mes yeux sont grands ouverts, tout mon corps et mes draps sont trempés de sueur.

Je prends une profonde inspiration, comme s'il n'y avait plus d'air dans ma chambre. Puis je commence à haleter. J'essaie de remplir mes poumons avec le plus d'air possible.

C'est ça, mourir ?

Sortant du cauchemar, je vérifie ma poitrine, mes bras et mes jambes. Aucune blessure par balle. Je suis soulagé de sentir de la sueur, non le sang.

Puis, j'ai faim.

10

Après une douche rapide, je descends à la cuisine et me prépare le petit déjeuner. Le robot-chef, un robot de cuisine, apporte déjà la touche finale au déjeuner. L'arôme de poulet rôti flotte dans la cuisine, faisant gronder mon estomac.

Je suis à mi-chemin de mon bol de Choco Pops quand je me souviens que je n'ai pas bavardé avec mes amis depuis qu'ils ont quitté la ferme hier. Je sors mon téléphone de la poche de mon short et découvre quarante-trois SMS de notre groupe de discussion.

Je les parcours. Les premiers messages sont de mes amis qui disent à quel point ils sont désolés pour ce qu'il s'est passé à la ferme. Kato écrit qu'il savait que ce n'était pas une bonne idée de nous essayer à l'agriculture, qu'ils auraient dû rester chez eux à jouer aux jeux vidéo.

Puis, dans la matinée, Babirye a demandé :

« Où est Tendo ? Il est hors réseau depuis trop longtemps !

—Peut-être qu'il a été puni par son père pour ce que nous avons fait hier », a suggéré Kunda.

Je prends une autre cuillerée de Choco Pops et continue à lire.

J'ai un SMS de Kato : « Je ne pense pas. Il n'a jamais été puni par son père. Son père est cool ».

« Tu veux dire qu'il n'est pas comme la mère de Kunda ? » répond Sanyu, ajoutant cinq émojis riant aux larmes, ceux dont les larmes coulent des yeux.

La mère de Kunda pourrait remporter le prix du parent le plus absent du monde, mais elle sait comment garder un œil sur son fils, veillant à ce qu'il ne reste jamais au-delà de l'heure du couvre-feu fixé à 20 heures, à ce qu'il ait une alimentation équilibrée et à ce qu'il fasse son lit. Mais Kunda, c'est toujours l'adolescent typique, même lorsqu'il se comporte comme plus jeune que son âge. Ainsi, chaque fois qu'il ne suit pas les règles de sa mère, il a des punitions ridiculement longues.

Un jour, Kato a volé des feux d'artifice dans le laboratoire de son père. Je ne sais pas pourquoi Oncle James gardait des feux d'artifice, mais il mène toujours des expériences très intéressantes. Kato m'a appelé et a demandé que je le rencontre dans l'immeuble de Kunda car, avec vingt-cinq étages, il était manifestement plus haut que les maisons à deux étages de Kato et Babirye.

La combine de ce jour-là : déclencher le feu d'artifice à midi. Il aurait été difficile de se faufiler hors de nos maisons et dans l'immeuble de Kunda au milieu de la nuit, après nos couvre-feux. Nous ne savions même pas à quoi ressembleraient des feux d'artifice en milieu de journée comparée à la nuit, mais ça ne ferait pas de mal de les essayer, n'est-ce pas ?

La famille de Sanyu n'avait pas encore emménagé dans la ville de Mukungu, donc notre groupe ne comprenait que Kato, Kunda, Babirye et moi. Je suis sûr que Babirye aurait également aimé participer à notre escapade de ce jour-là, mais sa mère étant à l'hôpital, elle passait beaucoup de temps à son chevet.

Kunda, Kato et moi sommes arrivés sur le toit plat de l'immeuble, et après avoir lu le manuel d'utilisation dans la boîte de feux d'artifice, nous avons tiré la première fusée.

Et là, tout est parti en vrille.

Au lieu de se lancer vers le ciel, la fusée part dans des draps qui séchaient sur une corde à linge. Ces derniers prennent feu.

« Oh mon Dieu ! » ont été les premiers mots de Kunda quand il a vu le feu. Ses mains étaient au-dessus de sa tête, ses yeux écarquillés de terreur.

« Je suis mort ! »

Kato réagit vite. Il court vers un tuyau d'arrosage qui se trouve à l'extrémité du toit, ouvre le robinet et asperge les draps en eau. Le feu est éteint en une minute.

Mais l'alarme incendie avait déjà été déclenchée.

En essayant de rester calme, j'ai demandé aux gars :

« Qu'allons-nous faire ?

—Courons ! » a dit Kato.

Et c'est ce que nous avons fait. Lorsque les pompiers sont arrivés sur le toit, nous étions déjà au rez-de-chaussée, mêlés à la petite foule qui s'était rassemblée et se demandait ce qui avait causé l'incendie.

Plus tard dans la journée, un policier a frappé à la porte d'Oncle James. Nous avions laissé la boîte de feux d'artifice sur le toit et elle portait son adresse, car elle lui avait été expédiée. Il était indéniable que la seule personne assez jeune pour voler les feux d'artifice et provoquer ce feu était Kato. Babirye avait un alibi solide : bien que sa mère ait dormi tout le temps qu'elle avait passé à l'hôpital, nombre d'employés l'avaient vue là-bas.

À sa décharge, Kato a insisté qu'il avait commis le crime seul, même après un interrogatoire de plus de trente minutes. Comment avait-il accédé au toit d'un immeuble privé où il ne vivait pas ? Il avait piraté le système de sécurité du bâtiment. C'était le fils d'un scientifique, et la police ne pouvait que le croire.

Mais la Maman avocate de Kunda n'a pas cru à cette histoire. Sans aucune preuve, elle l'a condamné à un mois sans appareil électronique. Heureusement, il ne restait que deux semaines avant la fin des vacances. Alors nous avons pu le voir au début du trimestre scolaire. Mais dès que la cloche de la fin de journée retentissait, il quittait l'école pour rentrer à la maison et reprendre sa punition.

Preuve que sa mère est sévère !

Quant à moi, mes parents n'ont jamais imaginé que je pouvais être impliqué dans une telle histoire. Et aujourd'hui, même si, comme le suggèrent mes amis, j'aurais dû être puni, je ne l'ai pas été. J'ai juste passé une longue nuit et une longue matinée sans être dérangé par mon téléphone.

Je me remets à lire leurs messages.

Kunda a envoyé :

« Les gars, c'est sérieux. Peut-être qu'on devrait aller à la ferme voir si Tendo va bien.

—Ce n'est pas une bonne idée, a déclaré Kato. Tu te souviens que le père de Tendo a dit qu'on ne devait plus y retourner ?

—Ce n'est pas ce qu'il a dit, a soutenu Babirye. Il a seulement dit qu'on ne devait pas être à la ferme sans supervision. Je pense que nous pouvons rendre visite à Tendo à la maison sans aller à la ferme. »

Et la conversation a continué. Après un certain temps, mes problèmes sont passés au second plan et il s'agissait maintenant de savoir ce que nous pourrions faire aujourd'hui. Devrions-nous retourner chez Oncle James pour jouer aux jeux vidéo ?

Babirye a envoyé un SMS : « Pas question !!!!! Je ne veux plus jamais entendre parler de jeux vidéo ! »

Je laisse tomber le bol vide dans l'évier. J'ai encore faim, mais je décide d'attendre le déjeuner, qui est dans une trentaine de minutes.

Je texte sur le groupe de discussion :

« Salut les gars.

—Tendo ! Où étais-tu ? Babirye est la première à répondre.

—Je vois que je vous ai manqué, dis-je.

—Hey ! Quoi de neuf ? dit Sanyu.

—Je suis désolé pour hier, dis-je.

—Ça va, répond Sanyu. Nous nous sommes remis. C'est juste que, maintenant, je ne pourrais plus apprendre à planter des trucs.

—Hey ! dit Kato. Tendo, quoi de neuf, mec ? »

Je leur parle de ma nouvelle tablette, offerte par mon oncle.

« C'est trop cool, écrit Kunda. Ma mère a dit qu'elle m'en achètera une à son retour du Japon. J'ai hâte. Avec cette tablette, on passe au niveau supérieur. »

Je lui envoie un SMS alors que je me dirige vers une chaise dans la cuisine : « C'est vrai. Je suis resté toute la nuit à jouer. C'est génial ! »

« Au fait, écrit Babirye, c'est moi ou est-ce que quelque chose ne va pas avec l'œil gauche de ton oncle ?

—Ça bougeait bizarrement ! Et je pense qu'il est légèrement plus grand que le droit, ajoute Kato.

—Ouais, je l'ai aussi remarqué, je texte. Je vais le questionner à ce sujet. »

Le chef-robot met un plat de riz cuit à la vapeur sur la table à manger. Le déjeuner est en avance aujourd'hui. Je suis tellement ravi que je veux embrasser le robot.

« Comment va mon neveu favori du monde entier ? » dit Oncle Moses, sa voix résonnant dans toute la cuisine. Je ne l'ai pas entendu entrer.

Je me retourne sur ma chaise et force un sourire.

« Je vais bien, mon oncle. Comment se fait-il que je sois votre neveu favori du monde entier ?

—Eh bien, tu es mon seul neveu, je suppose que ça fait de toi mon neveu préféré.

Difficile de contester cette logique.

—Mais comment se fait-il que je ne sache rien de vous, alors que tu es mon seul oncle ? » demandé-je.

Oncle Moses place sa grande main droite sur ma tête, un geste que je déteste, de sorte que même mes parents ne le font plus depuis que j'ai dix ans. Je suis trop vieux pour ça.

« C'est pourquoi je suis ici pour les fêtes de Noël. Je vais veiller à ce que nous rectifions ça, non ?

—D'accord », dis-je.

Le chef-robot apporte les légumes et le poulet rôti à table.

« On attend ton père ou on peut commencer à manger ? » demande Oncle Moses.

Juste à ce moment-là, Papa entre. Son jean est souillé aux genoux. On dirait qu'il travaille dans les champs depuis le matin, essayant très probablement de corriger les dégâts que nous avons faits hier.

« Allez-y, ne m'attendez pas », dit-il.

Quand je plante mes dents dans une cuisse de poulet, je me rends compte que je meurs de faim. Les Choco Pops n'ont pas vraiment rempli mon estomac.

11

Je me précipite dans ma chambre dès que j'ai fini de déjeuner. Mon oncle et mon père sont encore en train de manger. Mon nouveau passe-temps favori me manque déjà. Avant que je me rende compte de l'heure qu'il est, Papa m'appelle pour le dîner.

Maman me demande : « Tendo ? Tu vas bien ? » Elle est assise en face de moi et mange une petite salade.

Maman est directrice de pompes funèbres et dirige sa propre entreprise de services funéraires. Elle est toujours vêtue de noir et ses dreadlocks sont nouées en un chignon serré, ce qui signifie qu'elle vient de rentrer du travail et n'a pas encore eu le temps de se changer. Au moins deux fois par semaine, elle essaie d'être à la maison à temps pour le dîner.

Je hoche la tête.

« Il est à peine sorti de sa chambre aujourd'hui, rapporte Papa.

—Qu'est-ce que tu fabriques ? » demande Maman.

Oncle Moses dit : « Ce doit être cette nouvelle tablette que je lui ai offerte. »

J'enfourne tranquillement de la purée de pommes de terre dans ma bouche et l'avale, goûtant à peine la nourriture. Je remarque à peine ce que je mange.

« Tendo, dit Maman, essayant d'attirer mon attention, devrais-je m'inquiéter ?

—Non, Maman, dis-je, ma bouche remplie de nourriture. Je vais très bien.

—J'ai déjà vu ça, dit Oncle Moses. Le garçon est juste pris par son nouveau jouet. Donnez-lui un jour ou deux. Il en aura tellement assez qu'il oubliera même où il l'a mis. »

Les adultes reprennent leurs conversations d'adultes et j'essaie de finir mon assiette le plus rapidement possible pour reprendre mon jeu. Je l'ai mis sur pause et meurs d'envie de terminer mon niveau actuel.

« Excusez-moi s'il vous plaît, dis-je en repoussant ma chaise et en me levant.

—Tu n'es pas excusé ! dit Maman. Assieds-toi et attends que nous ayons terminé de dîner.

—Mais j'ai besoin d'aller aux toilettes, lâchant la première prétexte de ma tête.

—Normal, dit Maman, tu manges comme un goinfre.

—S'il vous plaît, puis-je partir ?

—Laisse le garçon partir », dit Papa.

Maman regarde Papa.

Je me lève et repousse la chaise.

« Tu n'es pas excusé, jeune homme ! » dit Maman en me regardant fixement.

Je fais trois pas en arrière, loin de la colère de Maman, à laquelle je suis habitué. Puis je me retourne et remonte les escaliers pour terminer mon jeu.

J'entends Maman reprocher à Papa d'être trop conciliant avec moi et critiquer les jeux vidéo qui ne seraient pas bons pour moi.

Mais c'est le cadet de mes soucis en ce moment.

12

Les jours passent, flous. Je suis tellement absorbé par les jeux holographiques que je n'envoie plus de SMS ni n'appelle mes amis. Je ne ressens même pas le besoin d'être avec eux. Après le premier jour, ils m'ont appelé. J'étais trop occupé pour entendre la sonnerie de mon téléphone.

Je mange et dors à peine. Pour me sustenter pendant que je joue, je prends des collations hâtives dans ma chambre, au milieu de la nuit.

Le jour où j'ai essayé les boissons énergisantes que Papa m'interdit de boire, c'était comme si j'avais découvert le secret de la vie éternelle. Pourquoi m'a-t-il fallu tant d'années avant de les essayer ? Parfois, je suis trop obéissant envers mes parents. Pour le bien que ça me fait… L'espace sous mon lit s'est transformé en un dépotoir jonché de canettes de boissons énergisantes, d'emballages de bonbons et de paquets de chips vides.

C'est soit le troisième, soit le quatrième jour (je ne me souviens plus vraiment) suivant ma dernière rencontre avec mes amis, Kunda m'eut appelé tellement de fois, que je n'ai d'autre choix que de le rappeler.

« Mec, qu'est-ce qui ne va pas avec toi ? demande Kunda. Il n'a pas l'air content du tout.

—Rien. Pourquoi tu m'appelles ?

—Aujourd'hui, c'est l'anniversaire de Kato et de Babirye, mais tu sembles nous avoir abandonnés ! Ils ne voulaient pas t'inviter à leur fête parce que tu ne leur parles pas, mais je les ai convaincus que tu m'écouterais et que tu sortirais. »

Au cas où vous ne l'auriez pas encore remarqué, je dois admettre que j'ai le béguin pour Babirye. J'aime me prendre pour le chef du groupe, mais le plus souvent, c'est Babirye qui est notre chef, étant la plus intelligente de nous tous (c'était avant que Sanyu arrive et s'arroge ce titre). J'aime vraiment ça chez elle. Je ne lui ai pas encore parlé de mes sentiments pour elle. Comment dire à l'une de tes meilleures amies que tu l'as kiffe ? Et si ça chamboulait la dynamique de notre groupe ? Et si ça détruisait notre amitié ?

Eh bien, la seule chose qui peut assurément détruire la dynamique de notre groupe, c'est que je manque la fête d'anniversaire des jumeaux. Ça pourrait même gâcher mes chances de pouvoir sortir un jour avec Babirye.

Je regarde mon jeu qui est sur pause. Je suis à un niveau particulier assez difficile. J'ai déjà échoué dix-huit fois. Mais je vais mieux. Et je suis sûr qu'avec une ou deux tentatives supplémentaires, je passerai au niveau suivant. Je me suis amélioré avec chaque tentative. J'ai hâte de voir ce qui se passe au niveau suivant.

« Je suis désolé, Kunda, je ne peux pas venir, dis-je.

—C'est ton nouveau jeu idiot ? demande Kunda. Tu romps avec tes amis pour une tablette ?

—Non ! Bien sûr que non ! Comment pourrais-je vous faire ça, les gars ? Je suis puni par mon père. Je ne vous l'ai pas dit ?

—Comment aurais-tu pu nous le dire quand tu ne parles à personne d'entre nous ?

—Il avait aussi pris mon téléphone. Et je sens un nœud dans mon estomac à la sortie d'un autre mensonge.

—Je suis désolé pour ça. Je sais ce que ça fait.

—Pouvez-vous venir un jour afin qu'on joue ensemble à un jeu holographique ?

—Je vais en parler aux autres et voir s'ils sont d'accord. Ils sont assez en colère contre toi en ce moment. Et je ne peux pas leur en vouloir.

—Je suis désolé. Mais maintenant, je dois te laisser. »

Je raccroche et je reviens dans le jeu, au niveau difficile auquel je suis.

À un certain moment, au milieu de la nuit, je me laisse tomber sur mon lit dans un état d'épuisement total. Je vais m'évanouir. Les cauchemars reviennent et me tourmentent dans mon sommeil.

Quand Oncle Moses me sort de mon sommeil agité, je hurle. Mais au fur et à mesure que je reconnais mon environnement, je me rends compte que c'est Oncle Moses qui me réveille, et non un méchant qui essaie de me tuer.

« Mon neveu favori », dit Oncle Moses, son visage trop proche du mien.

Je peux voir des rides d'inquiétude gravées sur le front d'Oncle Moses. Son œil gauche semble encore plus étrange vu de près. Il m'est finalement apparu que c'est un œil artificiel, en céramique blanche, avec une lentille en guise d'iris.

« Tu faisais un cauchemar ? » demande Oncle Moses.

J'acquiesce, puis je demande :

« Qu'est-il arrivé à ton œil gauche ?

—C'était un accident. Longue histoire.

—J'adore les longues histoires ! S'il vous plaît, dites-moi.

—Malheureusement, on n'a pas le temps pour ça, dit Oncle Moses en se levant de mon lit. Tes amis sont là pour te voir. Je leur demande de monter ?

Je regarde ma chambre. À quand remonte la dernière fois que j'ai changé mes draps trempés de sueur ? Pourquoi mes chaussettes et mes sous-vêtements sales sont-ils éparpillés sur le sol ?

—Non, dis-je. Je serai en bas dans une minute. »

Maintenant, où est mon téléphone ?

13

Je trouve mes amis dans le salon, écoutant Oncle Moses leur raconter une histoire. Kunda est le premier à me voir.

« Tendo, dit-il. Pourquoi tu ne nous as pas dit que tu avais un oncle drôle ?

Mon oncle est drôle ?

—Où est Sanyu ? je demande.

—Elle ne se sent pas bien, dit Kato, mais elle ne veut pas que nous en parlions.

—Je pense qu'elle veut juste rester aussi loin que possible d'une ferme, de peur que quelque chose n'arrive », dit Kunda.

Babirye se lève et me serre dans ses bras.

« Oh Tendo, dit-elle. Nous sommes vraiment désolés de nous être mis en colère contre toi. Nous ne savions pas que tu avais été puni et que ton téléphone t'avait été confisqué.

—Vraiment ? dit Oncle Moses en s'asseyant dans son fauteuil. Je remarque qu'il mange une part de gâteau avec une fourchette en bambou. Comment se fait-il que moi, ton oncle favori dans le monde entier, je ne savais pas que tu avais été puni ? Quand est-ce arrivé ?

—Euh… euh, je commence à babiller, puis je m'arrête. Que puis-je dire pour me sortir de cet entrelacs de mensonges ? Maintenant, tout le monde me regarde, attendant que je m'explique. Je hausse les épaules et dis : Eh bien…

—Tu n'étais pas puni ? » dit Kato en se levant du canapé.

Ça ne me va pas du tout, là.

Babirye croise les bras et me regarde, ses yeux en colère font des trous dans mon crâne. Je ne pense pas que je pourrai de sitôt lui demander qu'on sorte ensemble.

« Qu'as-tu à dire, hein ? Tu as manqué notre fête d'anniversaire, et nous avons même gardé du gâteau pour toi, pensant que tu étais puni. Mais non ! Qu'est-ce qu'on t'a fait ?

—Ce gâteau était pour ton anniversaire ? demande Oncle Moses en montrant le gâteau avec sa fourchette, la bouche pleine. De la crème au beurre est logée dans sa moustache touffue. C'est délicieux ! Qui l'a fait ? »

À ce moment-là, Papa entre dans la pièce et dit : « Tendo ! Qu'est-ce que tu as fait ? »

Je pousse un grand soupir de soulagement d'avoir été sauvé de ce moment gênant par mon père, mais quand je me retourne pour le regarder, je me rends compte que mes problèmes sont peut-être loin d'être terminés.

Papa a l'air plus en colère que mes amis.

Je lui demande :

« Qu'est-ce que j'ai fait ?

—Tu t'amuses avec mes robots ! dit Papa.

—Ce n'est pas vrai ! »

Oncle Moses, la bouche encore remplie de gâteau, dit :

« Tendo, c'est mal de mentir. C'est un crime. Sa voix est une complainte ennuyeuse.

—Mais je ne mens pas ! dis-je. Mes poings se serrent et ma poitrine se soulève. Je n'ai aucune idée de ce dont tu parles ! J'ai à peine quitté ma chambre !

—Exactement ! dit Papa. Tu t'es amusé avec eux depuis ta chambre ! Avec ta nouvelle tablette !

—Est-ce pour cela que tu ne voulais pas passer du temps avec nous ? » dit Babirye d'une toute petite voix. Ses yeux brillent de larmes. Ce n'est pas la Babirye garçon manqué que je connais. Quelque chose en elle a changé depuis le décès de sa mère il y a six mois.

Maintenant, tout comme dans mon jeu vidéo, je suis attaqué, et par nul autre que mon propre père !

« Mais c'est impossible ! Tout ce que j'ai fait, c'est jouer à mes jeux ! Comment cela pourrait-il perturber vos robots ? crie-je.

—N'élève pas la voix devant ton père, neveu », dit Oncle Moses. Il continue de m'appeler neveu, comme si c'était mon nom. Je commence à détester ça.

Papa essaie d'expliquer :

« De toute évidence, ta tablette ne dispose pas de toute la puissance nécessaire pour exécuter les jeux dessus. Je pense qu'elle est conçue pour trouver et utiliser d'autres systèmes informatiques sur le réseau. Depuis quelques jours, je constate des dysfonctionnements dans deux de mes robots agricoles. Puis ce matin, ils ont refusé de démarrer. J'ai dépanné comme j'ai pu mais rien ne fonctionne !

—C'est peut-être parce qu'ils sont vieux et doivent être remplacés, je suggère. Je viens juste de commencer à profiter de mes jeux, et la dernière chose que je veux, c'est d'être à l'origine de tout dommage supplémentaire à la ferme. Je ne peux imaginer que ma tablette en soit responsable. Ça signifie qu'elle me sera enlevée.

—Je suis sûr qu'ils ne sont pas vieux, dit Papa. Pendant que j'exécutais des diagnostics, j'ai remarqué que le problème provenait de l'un des ordinateurs du réseau et lorsque j'ai cherché à le localiser, j'ai découvert qu'il se trouvait dans ta chambre.

—C'est peut-être mon téléphone ? Ou un virus qui lui fait faire toutes ces choses-là à mon insu.

—Tu as à peine touché à ton téléphone ces derniers jours. Oui, je peux voir ton activité sur le réseau. Ton téléphone est même éteint en ce moment. Sa batterie doit être morte. Il ne reste donc plus que ta tablette. J'ai peur de devoir te demander d'arrêter de l'utiliser. Comme ça, mon travail ne sera pas perturbé. »

Pour la deuxième fois en une semaine, j'ai été la cause de ravages à la ferme de mon père. C'est quoi le problème avec ces vacances ?

Oncle Moses sort de son fauteuil, passe devant moi et met son bras autour des épaules de Papa.

« Viens me montrer ce qui est arrivé aux robots, mon frère, dit-il. Peut-être que je peux t'aider les réparer. »

Il mène ensuite Papa hors du salon, à son atelier.

Le silence tombe, comme une lourde cape sombre. Aucun d'entre nous ne sait quoi dire sur ce qui vient de se passer.

Alors que dans ma tête je rassemble des mots qui amèneraient mes amis à me pardonner, la sonnette rompt le silence.

Je tape sur un écran dans le mur pour voir qui est à la porte.

Pourquoi Monsieur Makanika est là ?

14

Monsieur Makanika conduit sa vieille camionnette rouillée dans la longue allée. Mes amis et moi, nous nous tenons devant le porche, à le regarder.

Il arrête le vieux tas de ferraille devant nous et, avec son coude accroché à la fenêtre du camion, demande :

« Que s'est-il passé ici, les gars ? Vous avez tous l'air de revenir d'un enterrement.

—Oh, rien Monsieur Makanika, dit Kunda. Nous allons très bien.

—Nous sommes chez la directrice du funérarium, alors… » dit Kato en haussant les épaules.

Je suis sûr qu'en disant cela, il voulait faire une blague, mais personne ne rit. Il y a à peine six mois, Maman a dû organiser les funérailles de sa mère. Ce fut la période la plus surréaliste et la plus délicate de ma vie. On n'en parle jamais, mais je trouve ça courageux de sa part de pouvoir faire de l'humour noir.

« Qu'êtes-vous venu faire, Monsieur Makanika ? »

Je me demande si les robots ont été détruits de manière si irrémédiable que mon père a appelé Monsieur Makanika pour les emmener à son atelier de réparation afin qu'ils soient démontés puis vendus en pièces détachées. C'est comme ça que Papa se débarrasse toujours de son matériel agricole usagé.

« J'ai des drones pour ton père, dit Monsieur Makanika. Il les loue toujours à cette époque de l'année pour préparer son maïs pour la récolte. Laissez-moi aller les déposer. »

Monsieur Makanika fait le tour de la maison jusqu'à l'atelier.

« Allez, venez les gars, dis-je. Ça va être amusant de regarder mon père piloter les drones et les positionner partout dans la ferme. »

Je commence à courir après le camion de Monsieur Makanika, puis je m'arrête. Je regarde en arrière. Personne ne me suit. Je ne suis définitivement plus le chef du gang !

« Les gars, venez ! dis-je en faisant un signe de la main.

—Nous ne voulons plus jamais te parler, dit Babirye, les bras croisés. Comment as-tu pu nous abandonner pour un jeu stupide ?

Je retourne vers le porche où se tiennent mes amis.

—Je suis vraiment désolé les gars, d'accord ? Je sais que j'ai merdé. J'ai menti. Mais si vous jouiez à ce jeu, vous me pardonneriez. Il est difficile de s'arrêter une fois qu'on a commencé.

—Alors, tu n'étais pas vraiment puni ? demande Kunda. Et ton téléphone ne t'a pas été confisqué ?

—Non, dis-je. Je n'ai aucune idée de l'endroit où il se trouve. Et c'est à cause de ce jeu. Nous devrions jouer ensemble un jour.

—Mais ton père vient de dire que tu ne devrais plus y jouer. Ça détruit ses robots, dit Kato.

—Nous pouvons trouver un moyen de contourner cet ordre, dis-je. Je suis sûr que le jeu est totalement inoffensif, et c'est juste une malheureuse coïncidence. Mais, s'il vous plaît, pour l'instant, venez avec moi voir les drones.

—Au fait, dit Babirye, je ne t'ai pas encore pardonné. »

Je lui fais un sourire penaud. Elle ne peut s'empêcher de sourire à son tour. Mon cœur bat plus vite.

Cette fois, quand je cours vers l'atelier, mes amis me suivent.

Monsieur Makanika est en train de décharger des boîtes de drones de l'arrière de son camion lorsque nous y arrivons. Il doit y en avoir une vingtaine.

« Donnez-moi un coup de main, les gars », dit-il.

Nous nous mettons au travail, transportant les boîtes sur une table à l'intérieur de l'atelier.

Je vois mon père et mon oncle près d'une autre table plus loin dans l'atelier. Ils sont penchés sur un robot, essayant de le faire fonctionner à nouveau. Je me sens mal pour ce que j'ai fait, même si je n'ai aucune idée de comment un jeu inoffensif peut causer tant de ravages.

Kato, une boîte entre les mains, passe à côté de moi, s'arrête et murmure : « Je crois que ton oncle a mangé tout le gâteau qu'on t'avait gardé. »

15

« Là ! dit Monsieur Makanika, joignant ses mains et s'éloignant de la table avec le robot. Je pense que ça fonctionnera maintenant. Allumez-le et voyons. »

Tout le monde se presse autour de la table sur laquelle repose le robot défectueux. Comme Papa et Oncle Moses n'avaient pas réussi à le réparer, Monsieur Makanika a proposé son aide.

Papa allume maintenant le robot. Il se met en marche. Le robot regarde autour de lui, puis saute de la table.

Sortant son téléphone, Papa tape quelques commandes et le robot commence à bouger.

« Ça marche ! Babirye crie, excitée.

—Merci beaucoup, Makanika, dit Papa en serrant la main de Monsieur Makanika. Je ne sais pas ce que j'aurais fait si vous n'étiez pas venu.

—Eh bien, je devais les livrer, dit Monsieur Makanika en désignant la table remplie de drones.

—Ah oui, les drones ! Merci, aussi. Je suis sûr que j'en aurai fini avec eux dans trois ou quatre jours.

—Oncle Katende, dit Babirye, que font exactement les drones ?

—Ils aident à sécher le maïs afin que nous puissions enfin le récolter, dit Papa. Il semble avoir retrouvé son humeur joyeuse habituelle, maintenant que son robot fonctionne.

—Comment ? demande Babirye. Elle est à nouveau curieuse. Il semble que mes transgressions ont été oubliées par Babirye et mon père.

—Ils créent une couche d'ozone autour d'eux pour protéger les plantes contre les dommages causés par les rayons nocifs du soleil, dit Papa. Sais-tu ce qu'est la couche d'ozone ?

—Bien sûr, dit Babirye. Je ne suis pas un chimpanzé inculte. C'est une couche d'une forme d'oxygène au-dessus de la surface de la Terre qui nous protège des rayons nocifs du soleil.

—C'est exact, Babirye, dit Papa, rayonnant. Mais tu vois, les humains n'ont pas pris soin de la Terre. Ainsi, au fil du temps, certaines parties de la couche d'ozone ont été détruites, créant ce qui s'appelle des trous d'ozone. Ces drones offrent une couche supplémentaire d'ozone pour protéger les plantes.

Je roule des yeux. Mon père aurait dû devenir enseignant, pas agriculteur.

—Pourquoi protégez-vous les plantes seulement pendant une courte période ? demande Babirye, les sourcils froncés, une main sur son menton. Si les rayons sont nocifs, pourquoi ne pas protéger les plantes en permanence ?

—Dans certaines régions du monde, on utilise des drones pour protéger les plantes tout au long de l'année. Ici, notre couche d'ozone n'a pas encore atteint un niveau de détérioration élevé. Mais les plantes sont plus vulnérables aux rayons du soleil quand elles sont très jeunes, et quand elles sont prêtes à être récoltées et ont commencé à sécher. Si je n'utilise pas les drones maintenant que le maïs a commencé à sécher, il risque de prendre feu.

—On peut les regarder voler ? demande Kunda, déplaçant son poids d'une jambe à l'autre comme s'il devait vraiment aller aux toilettes.

—Bien sûr, dit Papa. Mais ce n'est pas aussi divertissant que vous pouvez le penser. La plupart sont automatisés. Je pourrais le faire à partir de mon téléphone, mais parce que vous voulez regarder, suivez-moi dans mon bureau. L'ordinateur possède un grand écran.

Monsieur Makanika dit : « J'ai vu ça tellement de fois que je n'ai pas besoin de rester. Alors, au revoir les gars. Profitez bien de votre journée ! »

Au moment où Monsieur Makanika sort de l'atelier, il se retourne et dit : « Monsieur Katende, j'avais oublié, mais je pense que j'ai quelque chose qui pourrait vous plaire. »

16

« Qu'y a-t-il, Makanika ? demande Papa.

—Il y a quelques jours, le Dr James a déposé des équipements intéressants à mon atelier. Ce sont des machines qui aident à faire de la pluie. Je les ai essayées et elles sont assez impressionnantes. J'ai pensé que cela pourrait vous intéresser pour la saison de plantation à venir.

—Tu parles des Rainmakers ? demandé-je.

—C'est cela même, dit Monsieur Makanika, se tournant vers moi et faisant un clin d'œil. Je suis sûr que votre père les trouvera très utiles.

—Mais est-ce que Papa n'a pas dit que le gouvernement avait refusé de lui accorder une licence d'utilisation et qu'il voulait que vous les vendiez en pièces détachées ? » dit Babirye.

Monsieur Makanika agite sa main comme s'il chassait une mouche.

« Je sais ce qu'il a dit, mais le gouvernement n'a aucun moyen de savoir quand un agriculteur, très loin dans le Nord, les utilise. Et je ne vois pas pourquoi Monsieur Katende ne peut pas en profiter. Il ne fera de mal à personne, n'est-ce pas ?

—Merci Makanika, dit Papa, mais si James dit qu'ils ne doivent pas être vendus, c'est qu'il a de très bonnes raisons. Je ne veux pas les acheter dans son dos.

—Alors je vais les démonter et vous pourrez en acheter les pièces, suggère Monsieur Makanika. Vous pourrez alors les remonter ici et les utiliser. Vous ne l'aurez pas fait dans le dos de votre ami.

—C'est la même chose, Makanika, dit Papa. Si le gouvernement ne permet pas leur utilisation, alors il doit y avoir quelque chose qui cloche dedans. Je dirige une entreprise légale ici. Alors, malheureusement, je passe. La dernière chose que je veux, c'est me mettre du mauvais côté de la loi.

—Eh bien, je voulais juste aider, dit Monsieur Makanika. Je les proposerai à un autre agriculteur qui leur trouvera un bon usage, et vous regretterez de ne pas les avoir achetés lorsque d'autres agriculteurs auront de meilleurs rendements que vous. »

Monsieur Makanika part et Papa nous fait signe de le suivre dans son bureau.

—Nous devons faire voler les drones le plus tôt possible, dit-il.

—Je ne peux pas croire que Monsieur Makanika irait à l'encontre des souhaits de Papa et vendrait les Rainmakers, dit Babirye alors qu'elle se met à l'aise sur un siège dans le bureau de Papa.

—Mais qu'y a-t-il de mal à les vendre si l'agriculteur prend soin de ne pas informer le gouvernement de leur utilisation ? demande Kato.

—Tu dois toujours bien te comporter, Kato, dit Papa, même quand personne ne regarde. C'est ça l'intégrité ! »

Je ne pense pas que cette leçon entre de sitôt dans l'épais crâne de Kato.

Dès que Papa s'assoit sur sa chaise devant l'ordinateur, il se frappe le front avec la paume de la main.

« Oh zut ! dit-il. J'ai oublié !

—Quoi ? demande Kato.

—Nous devons d'abord sortir les drones de leurs emballages et les mettre en marche, dit Papa. Allez les gars, allumons-les ! »

Nous le suivons dans l'atelier.

Oncle Moses est déjà au travail, déballant les drones.

« J'ai pensé qu'ils vous seraient plus utiles hors de leurs boîtes, dit-il. Ils ne peuvent pas voler alors qu'ils sont encore dans leurs cartons, n'est-ce pas ? »

Nous rions tous.

Papa ouvre l'une des boîtes et nous montre comment les activer. Nous suivons ses instructions et en un rien de temps, les vingt drones sont allumés, clignotants rouges en marche.

« Maintenant, transportons-les à l'extérieur pour qu'ils ne se heurtent pas en sortant par la porte », dit Papa.

Après avoir disposé tous les drones à l'extérieur sur le sol devant le champ de maïs, nous retournons tous dans le bureau de Papa pour les faire voler.

Papa ouvre une application sur son ordinateur et une carte du champ de maïs remplit l'écran.

« Tout ce que j'ai à faire, c'est sélectionner les points de la ferme où je veux voir les drones voler, dit-il en cliquant sur différentes parties de la ferme. Je dois juste veiller à ce qu'ils soient uniformément espacés. Il ne me reste plus qu'à cliquer sur cette icône et tous les drones se mettront automatiquement en position, et c'est là qu'ils resteront pendant les trois à quatre prochains jours. »

Soudain, j'ai une idée.

« Les gars, je pense que ce serait plus intéressant de regarder les drones voler à l'extérieur, au lieu de regarder les petits points se déplacer sur l'ordinateur de Papa. »

Mes amis et moi nous nous précipitons juste à temps pour voir les drones décoller du sol.

« Waouh ! dit Kunda. C'est super cool ! »

Appuyé contre le mur de l'atelier, Oncle Moses regarde aussi les drones prendre leur envol, mais son visage ne s'illumine pas comme les nôtres. Il semble plongé dans ses pensées.

Aucun de mes amis ne semble le remarquer.

Mais moi, je le vois.

17

Plus tard dans la nuit, je passe tellement de temps à mes retrouvailles avec mes amis que je ne me sens plus coupable de les avoir abandonnés pendant quelques jours. Je me retire dans ma chambre.

Pour la première fois, je remarque le chaos que j'ai créé. D'abord, l'odeur. Je la cherche, reniflant dans la pièce comme une souris.

Je sens l'odeur pourri d'abord avant de trouver la cuisse de poulet frit moisie sous mon lit, un emballage de bonbons vide la gardant hors de vue.

Comment ai-je vécu si confortablement dans cet espace ?

Soudain, je suis reconnaissant que Maman ne vienne plus dans ma chambre comme elle le faisait quand j'étais plus petit. L'excuse était qu'elle devait me border.

Je descends et prends un sac-poubelle. Le ménage indispensable pour remettre ma chambre dans son état d'origine est considérable. J'ai trop honte de moi pour solliciter l'aide d'un robot.

Une heure plus tard, ma chambre est redevenue habitable. Les vêtements sales sont dans la buanderie. Les vêtements propres sont de retour dans les armoires et les tiroirs. Les draps ont été changés pour un lit frais et propre. J'ai enfin trouvé mon téléphone dans une chaussette, et maintenant il se recharge sans fil sur ma table de chevet. Je n'ai aucune idée comment il a pu entrer dans cette chaussette.

Ma nouvelle tablette est éteinte pour la première fois, écran contre la table de chevet. À côté se trouve mon téléphone en train de charger. Près du téléphone, il y a mon ancienne tablette. J'avais même oublié son existence.

Je la prends et l'allume. Le fond d'écran est une vieille photo de Kato, Babirye et moi. Elle a été prise il y a environ deux ans par la mère des jumeaux, le jour de leur anniversaire. Je pense que leur anniversaire, il y a deux jours, est le premier que j'ai manqué de ma vie.

Je me souviens qu'Oncle James avait fait un événement de cet anniversaire d'il y a deux ans, parce que Kato et Babirye étaient enfin adolescents. Certains de leurs cousins du Sud avaient même voyagé pour y assister. On vous aurait pardonné si vous étiez venu à la fête sans invitation, tant il y avait de nourriture. Comme pour un mariage. Il y avait aussi beaucoup de boissons. Bien entendu, l'alcool était réservé aux adultes.

La photo que je regarde a été prise pendant que nous coupions le gâteau. D'une manière ou d'une autre, j'ai toujours participé à la cérémonie de coupe du gâteau, comme si nous étions des triplés. En fait, certains enfants à l'école nous demandaient si nous étions des triplés, car nous traînions toujours ensemble et nous nous comportions comme des frères.

Quelques mois après cette fête, la mère des jumeaux, Tante Karabo, a été diagnostiquée d'un cancer du sein. Les dix-huit mois qui ont suivi eurent l'effet de montagnes russes, épuisantes d'émotions, alors qu'elle entrait et sortait de l'hôpital.

Kato s'est alors rebellé, se créant autant de problèmes que possible. Tout le monde a dit que c'était de son âge. Je n'ai pas encore ressenti les mêmes pulsions destructrices comme lui.

Babirye, d'un autre côté, a soudainement mûri, abandonné son caractère garçon manqué et a commencé à davantage se comporter comme une dame. Bien qu'elle soit restée curieuse par nature, pour elle, plus question d'escalader les murs ou d'entrer par les fenêtres des chambres.

Je pense que c'est cette transformation qui, pour la première fois de ma vie, m'a poussé à enfin la voir comme une fille. Tout d'un coup, elle était si différente de nous, les gars avec qui elle traînait, et ça la rendait attirante.

De deux doigts, je zoome sur la photo. Babirye est au milieu, Kato à sa gauche et je suis à sa droite. Tous les trois, nous avons ces drôles de petits chapeaux d'anniversaire sur la tête. Nous avons aussi des sourires idiots sur nos visages. C'est la dernière photo que nous avons prise avant que Tante Karabo ne soit diagnostiquée du cancer et que nos vies changent à jamais. C'est la dernière photo de notre enfance.

Je zoome jusqu'à ce que le visage de Babirye remplisse l'écran. Elle est belle. Sur la photo, elle porte un appareil dentaire qu'elle a enlevé depuis – il y a près d'un an. Deux ans après que cette photo a été prise, et elle est devenue encore plus belle.

Je dois lui demander de sortir avec moi un de ces jours. Cette pensée envahit souvent mon esprit, ces derniers temps. J'ai l'impression que quand je ne joue pas aux jeux vidéo, je pense à Babirye et je cherche des moyens de lui dire ce que je ressens.

J'ai essayé à plusieurs reprises de lui envoyer des SMS, mais je finis par les supprimer avant de les lui transmettre. Peut-être que je devrais l'appeler par vidéo, voir la réaction en temps réel sur son visage. Mieux encore, je pourrais le lui dire en personne.

Mais que faire si elle dit non ? Je crois que j'en mourrais !

Ma première idée de lui envoyer des SMS est meilleure. Au moins, elle pourra prendre le temps de réfléchir à ce que j'ai écrit, et elle répondra probablement par SMS. Si elle dit non, je n'aurai pas à mourir devant elle.

Mais si elle dit oui, alors quoi ?

Je n'ai jamais eu de petite amie auparavant. Donc je ne sais pas quoi faire. On s'embrasse ? On fait plus que s'embrasser ? Selon Kato, lui et Sanyu se sont embrassés à quelques reprises, mais je ne crois pas à ses bobards. Il a tendance à mentir et à exagérer les choses.

J'imagine Babirye et moi en train de nous embrasser. Je ne l'ai jamais embrassée, mais j'imagine que ses lèvres sont douces et chaudes. Alors que mon esprit envisage d'autres choses que nous pourrions faire, je passe instinctivement ma main le long de mon ventre, à travers l'élastique de mon short, et mes pensées s'embrouillent.

Moins d'une minute plus tard, j'ai fini de me « gratter », mais je me sens tellement mal…

18

J'essaie de penser à d'autres moyens d'occuper mon esprit, de me débarrasser de ce que je viens de faire et de la honte qui en résulte.

Peut-être que je devrais lire une bande dessinée sur mon ancienne tablette ?

Mais la nouvelle tablette peut également servir pour lire des bandes dessinées !

Depuis que j'ai la nouvelle tablette, je ne l'ai utilisée que pour jouer à des jeux holographiques. Mais je suis sûr qu'elle peut faire bien plus que cela.

Je la prends donc, je l'allume et me connecte. Elle ne devrait pas avoir besoin de tellement de puissance pour devoir utiliser celle d'autres ordinateurs. La dernière chose que je veux, c'est avoir des ennuis avec mon père.

Je télécharge le lecteur de bandes dessinées et me connecte à mon compte. Je sélectionne la dernière bande dessinée que j'ai lue et je suis automatiquement redirigé vers la dernière page lue. Au moment où je commence à lire ma bande dessinée préférée, une notification clignote à l'écran.

« Jouez à Incredible Combat jusqu'au niveau 20 et tentez de gagner 20 points supplémentaires ! »

Je lis la notification encore trois fois, puis je la fais glisser. Je ne serai pas tenté. Pas ce soir.

Je recommence ma lecture. C'est une vieille bande dessinée de Batman et j'arrive maintenant au passage le plus intéressant.

La notification réapparaît : « *Jouez à Incredible Combat jusqu'au niveau 20 et tentez de gagner 20 points supplémentaires !* »

Je la lis une fois et la fais glisser. Je continue à lire ma bande dessinée.

Pourquoi ma bande dessinée préférée n'est-elle pas aussi intéressante qu'elle l'était la semaine dernière ? J'ai lu suffisamment de bandes dessinées pour savoir que je devrais arriver au paroxysme de l'histoire, là où il n'est plus possible de s'arrêter. Mais mon esprit n'est pas concentré.

Lorsque la notification revient, je la fais glisser avant de la lire. Je remarque qu'elle est différente et plus longue.

« Si vous ne jouez pas à Incredible Combat jusqu'au niveau 20 dans les 15 prochaines minutes, vous risquez de perdre tous les points que vous avez accumulés et de revenir au niveau zéro ! Jouez maintenant avant qu'il ne soit trop tard ! »

Je relis la notification.

Encore.

C'est injuste !

Je regarde l'heure. Il est 22 h 30. Je suis au niveau 19. Il me faut une trentaine de minutes pour atteindre le niveau 20 et gagner des points supplémentaires, et éviter ainsi de perdre ceux que j'ai déjà gagnés.

Mais Papa m'interdit de jouer à ces jeux. Ils ont détruit d'autres systèmes informatiques, du moins, il le pense. Je ne le crois pas, mais je ne veux pas aller contre sa volonté.

Les jeux m'ont aussi donné des cauchemars. Je n'en avais pas fait depuis bien longtemps. J'en avais eu pour la première fois il y a des années après avoir regardé un film d'horreur, et j'en avais conclu que le sang ne m'excitait pas. Revivre les horreurs du film dans mes rêves me rebutait.

Maintenant, ils sont de retour. Différents, mais toujours aussi effrayants. Je ne peux pas nier qu'ils ont pu être causés par les jeux holographiques auxquels je jouais parce que les personnages des jeux étaient les mêmes qui terrorisaient mes nuits chaque fois que je m'endormais.

Mon plus grand problème est que les jeux créent une dépendance. Une fois que j'ai commencé à jouer, je veux, ou plutôt j'ai besoin de jouer un peu plus. Chaque nouveau niveau auquel je parviens exige que je le termine et que je passe au suivant le plus rapidement possible, car qui sait quelles nouvelles sensations m'attendent au niveau suivant ?

Je fais glisser la notification et essaie de revenir à la lecture de la bande dessinée. Cette fois, je vais être un bon garçon et obéir à mon père.

La bande dessinée n'a plus de sens pour moi.

« Encore 10 minutes et vous perdrez tous vos points », indique une nouvelle notification.

Je me dis : « Assurément, rien de catastrophique ne peut arriver en trente minutes de jeu »

Mais que faire si quelque chose de mauvais se produit réellement ?

Je regarde le plafond et je pèse mes options. Avec ma nouvelle expérience, je peux rattraper les points perdus en un jour ou deux… mais cela ne causerait-il pas beaucoup plus de dégâts ? Ne serait-il pas préférable de jouer maintenant ?

Je me fais la leçon : « Tendo, reviens à la lecture de ta bande dessinée ! ». Atteindre le niveau 20 ne vaut pas que je désobéisse à mon père. Mais si les 19 derniers niveaux ont été de plus en plus épiques, qu'en sera-t-il du niveau 20 ? Et si je rate la meilleure expérience de ma vie ?

Je peux sûrement sacrifier trente minutes de mon temps pour essayer le niveau 20.

Qu'est ce qui peut arriver de pire ? Les robots de Papa peuvent être réparés, n'est-ce pas ? En supposant qu'il y ait du vrai dans ce qu'il prétend. Et je sais qu'il pardonne et oublie facilement. Ne comprendra-t-il pas que je n'ai pas pu résister à un seul niveau de plus pendant trente minutes ?

Tendo, retourne à ta bande dessinée.

Je passe à la page suivante de la bande dessinée. Je lis. Puis je fais glisser la page. Je lis. Puis je fais glisser la page à nouveau.

Cinq pages plus tard, je me rends compte que je n'ai aucune idée de ce que je viens de lire.

« Uurrrggghhhh ! » Je serre les dents et garde les yeux bien fermés ; je presse mes doigts sur mes tempes. La frustration me ronge.

Je ne peux plus nier que je suis accro aux jeux vidéo. À ce jeu holographique, pour être précis.

Un autre ding retentit. Une autre notification. Celle-ci clignote en rouge et les mots sont en majuscules :

« IL VOUS RESTE 5 MINUTES AVANT DE PERDRE TOUS VOS POINTS. JOUEZ MAINTENANT OU PERDEZ VOS POINTS POUR TOUJOURS. »

Je m'assois dans mon lit et lance le jeu.

Un hologramme jaillit de la tablette. Je sélectionne le bouton de démarrage et, en quelques secondes, je suis perdu dans le monde où je m'étais juré de ne jamais revenir.

Comme ai-je pu à ce point me tromper en pensant ne plus jamais jouer à ce jeu ? C'est un pur et vrai plaisir ! Contrairement à la vraie vie, dans ce jeu, je suis un super-héros qui sauve le monde des méchants.

Je n'entends pas la porte s'ouvrir et Papa entrer dans ma chambre. Je continue à jouer.

Jusqu'à ce que mon jeu holographique disparaisse.

« C'est fini ! » dit Papa en attrapant la tablette et en l'éteignant. Tu es puni ! Et je confisque ta tablette !

Je suis désorienté, au début. Papa fait-il partie du jeu ? Et pourquoi fait-il soudain si sombre ?

« Quoi ?

—J'ai dit, tu es puni et je confisque ta tablette, répète Papa. Je ne vais pas te laisser détruire cet endroit ! Pas de sortie pendant une semaine !

—Mais qu'est-ce que j'ai détruit cette fois ? Je n'ai joué que quelques minutes. Et j'allais jouer seulement jusqu'au niveau 20 pendant quelques minutes. Cela ne peut quand même pas causer de problèmes, non ?

—Regarde autour de toi ! » crie Papa.

Je n'ai jamais entendu mon père élever la voix comme ça.

Je regarde autour de moi.

« Pourquoi sommes-nous dans le noir ?

—Parce que tes jeux ont coupé notre électricité ! »

19

« Hey ! Les gars ! Ma mère m'a finalement acheté une tablette comme celle de Tendo ! Voulez-vous venir chez moi pour un essai ? »

C'est le premier SMS que je vois ce matin. Il est de notre groupe de discussion, envoyé par Kunda.

J'éteins mon téléphone. Je me retourne dans mon lit et me couvre la tête avec la couverture. Je n'ai pas envie de sortir du lit aujourd'hui.

Les événements de la nuit dernière me reviennent à l'esprit.

Je suis puni. Vraiment puni, pas comme la dernière fois.

Je n'avais jamais été puni par mon père auparavant. Seule Maman est aussi sévère. Papa a toujours été mon copain, celui qui, tout le temps, me protège de la colère de Maman. Je suis un adolescent normal. Je n'ai jamais trop de problèmes. En revanche, hier soir, même après avoir plaidé et supplié, Papa n'a pas transigé.

C'est une chose d'être puni pendant le trimestre scolaire. Au moins, on peut aller à l'école et y voir ses amis. Mais être puni pendant les vacances, c'est le pire. Il n'y a rien d'autre à faire que de rester à la maison et d'essayer comme on peut de se divertir. Le vaste domaine de notre maison accentue la solitude. Et maintenant que ma nouvelle tablette est confisquée, aucun autre divertissement ne semble à la hauteur.

Envoyer des SMS à mes amis pourrait peut-être aider.

À contrecœur, je rallume mon téléphone et les notifications affluent l'écran. Ce sont mes amis qui envoient des SMS au groupe.

Kato : Ouais ! Félicitations ! Quand pouvons-nous venir ?

Kunda : Maintenant ! Je suis vraiment enthousiaste !

Babirye : Nous y serons bientôt.

Kunda : Tendo, tu viens aussi ?

Je fixe ce dernier message pendant un moment. Mes amis peuvent voir que j'ai lu les précédents. Je ne peux pas prétendre que je ne les ai pas lus.

Je tape une émoticône triste, puis j'ajoute :

« Je suis désolé les gars. Je suis puni.

—C'est un vieux mensonge, Tendo, écrit Babirye. Trouves-en un nouveau.

—Je jure que cette fois je ne mens pas, dis-je, puis je leur raconte ce qui s'est passé la nuit dernière.

—Je ne te crois pas », dit Babirye.

Je mets de côté, jusqu'à nouvel ordre, mon idée de lui dire ce que je ressens pour elle.

J'éteins mon téléphone. Puis, je me mets au lit jusqu'à ce que j'aie trop faim pour rester sous les couvertures.

Je pousse distraitement des Choco Pops dans ma bouche quand je me rends compte que Kunda pourrait également avoir des ennuis à cause de sa nouvelle tablette. Et si moi je suis puni pendant une semaine, lui le restera jusqu'à ses trente ans ! Je suis en colère contre mes amis qui ne m'ont pas cru, mais je dois les avertir. J'allume mon téléphone et envoie des SMS au groupe.

« Les gars, ne jouez pas à ce jeu !!!! Il va provoquer des dysfonctionnements dans d'autres systèmes informatiques ! »

Je mange encore plus de Choco Pops. Je regarde l'écran de mon téléphone toutes les deux secondes pour voir si quelqu'un a vu le message et répondu.

Cinq minutes et personne ne l'a vu !

J'appelle Kunda. Son téléphone sonne, sonne, sonne. Puis l'appel est déconnecté.

Mes amis m'abandonnent-ils comme je les ai abandonnés ? Pourquoi ne croient-ils pas que, cette fois, je suis réellement puni et que je ne mens pas ?

J'appelle à nouveau Kunda. Toujours pas de réponse.

J'appelle alors Kato. Pas de réponse.

J'appelle finalement Babirye, et elle décroche après la troisième sonnerie.

« Tu interromps notre partie, dit-elle.

—Vous jouez avec la nouvelle tablette de Kunda ?

—Oui ! C'est tellement amusant ! Pourquoi tu ne nous as pas dit que c'était si amusant ! Maintenant, je sais pourquoi tu nous as menti ! Même moi, je vous mentirais si j'avais un jeu aussi amusant !

—Alors… vous n'êtes pas en colère contre moi ?

—On te pardonne, cette fois. Viens nous rejoindre !

—Je ne peux pas. Je suis puni, tu te souviens ?

—Tu es sérieux ?

—Sérieux.

—Désolée, Tendo, dit Babirye. Et pardonne-moi de ne pas t'avoir cru au début. »

Sa voix résonne comme du miel et je veux lui dire. Au lieu de cela, je réponds :

« Ça va. Mais vous devez arrêter de jouer maintenant. Vous allez détruire les systèmes informatiques chez Kunda ! Et vous connaissez sa mère. Elle est une terreur.

—Je ne pense pas. Nous jouons depuis quelques heures maintenant et tout semble normal.

—Vous n'avez pas vu ce que ma tablette a fait au robot de mon père ? Vous n'avez pas lu mon SMS sur comment elle a coupé notre électricité ?

—Peut-être que cette tablette est différente. Maintenant je dois y aller. Je ne veux rien rater ! »

Babirye raccroche.

Elle ne me croit pas.

Elle ne me croit pas !

Je dois trouver un moyen de sauver mes amis de cette tablette avant qu'il ne soit trop tard.

20

Je marche sur la pointe des pieds jusqu'à l'atelier de Papa. J'entends des voix. Papa discute avec Oncle Moses.

« Ce que tu as fait de cette ferme depuis la mort de Papa est incroyable, dit Oncle Moses.

—C'est beaucoup de travail, répond Papa. Si seulement tu étais resté dans les parages, ç'aurait été mieux qu'aujourd'hui. Mais tu n'as jamais aimé l'agriculture.

—Après avoir vu comment tu utilises la technologie ici pour rendre le travail plus facile et plus rapide, je pense que j'aime ce type d'agriculture.

—Tu as toujours été fan de gadgets ! dit Papa en riant.

—Je pense que j'aimerais rester et travailler avec toi. Nous pourrions nous associer, comme lorsque nous étions jeunes.

—Moses, je ne pense pas que ça arrive. Pas après ce que tu as fait. »

Décidant que j'ai suffisamment écouté aux portes, je retourne dans la maison sur la pointe des pieds. J'aimerais en savoir plus sur la conversation entre Papa et Oncle Moses, mais le temps presse. Vu la façon dont ils discutent, ils en auront pour longtemps. Je ne leur manquerai sûrement pas pendant qu'ils fraterniseront.

Je regarde ma montre. Il est 10 h 30. Environ deux heures avant l'heure du déjeuner. Deux heures me suffisent largement. Ils ne remarqueront pas mon absence.

Je me précipite dans ma chambre, je glisse une couverture en boule dans mon lit au cas où quelqu'un entre, qu'il puisse penser que je suis couché, en train de dormir. Ensuite, je sors mon téléphone et le pose sur la table de chevet. La dernière chose que je veux, c'est que Papa me retrouve à l'aide de mon téléphone, c'est-à-dire s'il décide de vérifier que son fils est toujours confiné.

Je cours hors de la maison, dans la longue allée, par la porte, dans la rue, jusqu'à l'immeuble de Kunda. J'aurais pu emprunter un des scooters électriques de Papa, mais ils sont dans l'atelier, et Papa m'aurait certainement entendu en démarrer un. Au moment où je monte dans l'ascenseur et appuie sur le bouton du vingtième étage, je halète et transpire comme si je venais de courir un marathon. Je cours dans le couloir jusqu'à l'appartement de Kunda et sonne à la porte.

Pas de réponse.

Je sonne à nouveau, cette fois en laissant mon index sur la sonnerie pendant un bon bout de temps.

La porte s'ouvre enfin. Kunda voit que c'est moi et il fronce les sourcils de confusion.

« Je savais que tu mentais, que tu n'es pas puni, dit-il.

—Je ne mentais pas, dis-je.

—Alors pourquoi tu es ici si tu es puni ?

—N'as-tu jamais enfreint une punition de ta mère ?

Kunda hausse les épaules.

—Tu vas me laisser entrer ?

Kunda s'écarte et me laisse entrer. Il me conduit dans un petit couloir vers le salon. Je suis venu ici un nombre incalculable de fois. Je ne me souviens pas comment Kunda a commencé à nous fréquenter, Babirye, Kato et moi. C'est une de ces amitiés qui vous prennent par surprise et avant que vous ne vous en rendiez compte, vous êtes les meilleurs amis. Sans explication. Sans raison. Kunda a toujours les derniers jeux de réalité virtuelle de la ville grâce à une mère qui ressent le besoin de les acheter comme une forme de pénitence pour n'être jamais là. Kunda n'a jamais rencontré son vrai père, mais a connu deux beaux-pères. Il m'a dit une fois qu'il ne voulait pas d'un autre beau-père. C'était il y a deux ans. Alors maintenant, il y a juste lui et sa mère qui vivent dans cet appartement.

Le couloir est rempli de photos de Kunda à différents âges. Ma préférée est une grande peinture numérique de Kunda debout derrière sa mère assise. Il sourit timidement, mais sa mère a les sourcils froncés et un regard qui peut traverser le verre.

« Je suis venu te mettre en garde à propos de ta tablette, lui dis-je alors que nous arrivons au salon. Ça peut être dangereux !

—Vraiment ? Comment ?

—Combien de fois dois-je te raconter ce qui est arrivé à ma tablette ? »

Dans le salon, décoré avec goût avec des canapés en bois minimalistes, des coussins et un tapis de différentes teintes de gris, et une énorme télévision qui remplit presque un mur et rend la pièce plus petite qu'elle ne l'est en réalité, je trouve Kato, Babirye et Sanyu occupés à jouer à un jeu holographique. Ils ne remarquent même pas ma présence.

« D'abord, arrêtez le jeu et vérifiez vos appareils électroniques, voyez s'ils vont toujours normaux », dis-je à Kunda.

Kunda met le jeu sur pause.

« Hey ! Pourquoi as-tu fait ça ? », se plaint Babirye.

Kato pousse un juron.

Sanyu me voit et dit :

« Tendo, je pensais que tu étais puni.

—J'ai dû m'échapper pour vous prévenir, dis-je. Tout appareil électronique connecté à Internet peut être en difficulté si vous continuez à jouer avec cette tablette. Elle utilise la puissance d'exploitation d'autres ordinateurs pour bien fonctionner.

—Je ne pense pas que cette tablette ait altéré quoi que ce soit, dit Sanyu.

C'est la technophile du groupe et je veux bien la croire.

—Vous étiez là hier. Vous avez vu ce qui est arrivé aux robots de mon père.

—Donnez-moi un moment, dit Sanyu. Laissez-moi faire des diagnostics sur les systèmes ici. »

Nous attendons et regardons Sanyu travailler sur son téléphone pendant deux minutes. Personne ne demande comment elle est entrée dans le réseau de chez Kunda. Elle trouve toujours son chemin dans les protocoles de sécurité de n'importe quel système. Si elle n'avait pas naturellement été une personne au bon cœur, elle et sa famille se seraient enrichies grâce à la cybercriminalité. Au lieu de cela, elle dort dans le salon de leur appartement parce qu'elle est trop âgée pour partager la chambre de ses petits frères ou de ses parents. Je ne la connais pas depuis longtemps, mais je peux dire qu'elle ne semble pas se soucier du fait que, dans notre groupe, elle est la plus défavorisée financièrement.

—Il n'y a rien, dit-elle enfin.

—Tendo, et si ta tablette était différente de celle de Kunda ? », interroge Kato.

Je prends la tablette de Kunda et l'examine: « Non, ma tablette est exactement pareille.

—Alors, il n'y a qu'une autre explication à ce mystère, dit Sanyu en levant son index. Quelqu'un accède à distance à ta tablette et ce quelqu'un est la cause de tous les problèmes à la ferme de ton père.

—Oui ! dit Babirye avec enthousiasme. Ceci explique cela ! Oh, j'aime les mystères ! Pourquoi ne pas aller à la ferme pour savoir qui accède à distance à la tablette de Tendo ?

Trouvant ça un peu trop difficile à croire, je demande, presque énervé :

—Tu veux dire que quelqu'un pourrait intentionnellement cibler la ferme de mon père ?

—Je préfère rester ici et jouer, dit Kunda en faisant une moue de bébé qui pleure.

—Moi aussi, dit Babirye. Mais imaginez si nous avions deux tablettes avec des jeux holographiques ! Tout ce qui nous reste à faire est de découvrir ce qui ne va pas avec la tablette de Tendo, d'y remédier, puis de pouvoir jouer avec ! Si nous avons raison, nous attraperons un méchant.

—Allons-y ! » dis-je.

J'ai vraiment besoin de l'aide de mes amis, de celle de Sanyu, en particulier.

Mais surtout, je dois rentrer à la maison avant que mon père découvre que je n'y suis pas.

21

Nous entendons les sirènes bien avant d'arriver à la ferme.

« Quelque chose ne va pas, dit Babirye. Quelque chose ne va pas du tout. »

Nous nous mettons à courir. La porte du domaine est grande ouverte lorsque nous arrivons, je n'ai donc pas à utiliser ma paume sur le scan biométrique pour l'ouvrir.

Maintenant, les sirènes sont encore plus fortes. La maison a l'air calme. Et à ce moment-là, je les vois.

Des colonnes de fumée montent dans le ciel depuis l'arrière de la maison.

Le champ de maïs !

« Regardez ! dit Kunda en montrant le ciel. Quelque chose brûle ! »

Nous sprintons en direction de l'arrière de la maison.

Les sirènes proviennent de deux camions de pompiers. Des grues robotiques avec des tuyaux sortant de leurs flancs projettent de l'eau sur un incendie dans le champ de maïs.

Je lève les yeux, mais à travers la fumée je ne vois pas si les drones planent toujours au-dessus de la ferme. Ne sont-ils pas censés empêcher un tel accident ?

Je repère Papa, debout avec Oncle Moses, et à une distance sécuritaire, deux pompiers qui dirigent leurs camions à partir de leurs tablettes. Je vais les trouver. Mes amis me suivent.

Je demande à mon père :

« Papa, que s'est-il passé ?

—Où étiez-vous ?

—J'étais dans ma chambre. Je suis puni, tu te souviens ?

—Ne me mens pas, mon garçon ! J'en ai marre de tes jeux ! Cette fois, je détruis ta tablette !

—Mais je n'ai pas causé ça ! Je n'étais même pas là !.

—Eh bien, je ne sais pas comment tu as fait, mais ta tablette est celle qui a fait écraser et s'enflammer les drones, provoquant l'incendie ! Si je n'avais pas de capteurs d'incendie sur la ferme, les pompiers ne seraient pas arrivés à temps et j'aurais perdu tout mon maïs. »

Je fais un pas en arrière, et soudain, j'ai mal au ventre. Je tombe et atterris les fesses dans l'herbe, abasourdi. Est-ce l'un de ces cauchemars que j'ai fait ces derniers temps ? Si c'est le cas, je veux en sortir. Je veux me réveiller immédiatement et reprendre une vie normale, mon ancienne vie.

Est-ce que des personnes ciblent intentionnellement la ferme de mon père, essaient de la détruire et utilisent ma nouvelle tablette pour le faire ?

Qu'est-ce c'est ?

Pourquoi font-elles cela ?

Il est impossible que ce soit le travail de ma tablette. Je n'étais même pas à la maison pour en jouer lorsque l'incendie s'est déclaré ! Papa l'a même confisquée, bon sang !

Je prends quelques respirations profondes, me stabilise et me relève.

« Papa, je dois récupérer cette tablette. »

Papa me regarde, la rage dans les yeux. Il dit :

« Tu es fou ? Je t'ai dit que je vais la détruire !

—Mais si tu la détruis, nous ne découvrirons pas ce qui ne va pas exactement et ne pourrons pas y remédier.

—Je n'ai pas besoin de savoir ce qui ne va pas. Je veux qu'elle soit détruite.

—Tu ne veux pas savoir qui est derrière ces attaques ?

—C'est toi ! dit Papa en pointant un doigt sur ma poitrine. Toi et ta maudite tablette !

—Mais Kunda a une tablette exactement pareille à la mienne, et la sienne ne pose aucun problème.

—Cette conversation est terminée ! », dit Papa et il se retourne pour regarder son champ de maïs en feu.

Je me tourne vers mes amis et hausse les épaules, impuissant.

Le feu est maintenant contenu. Il est impossible de voir entièrement la ferme depuis le sol, mais j'espère et je prie que tout le maïs ne soit pas perdu. De ce que je peux voir, il reste des braises fumantes.

« Que vas-tu faire maintenant ? me demande Kato.

—Je sais où se trouve la tablette. Suivez-moi ! »

Nous courons à l'atelier de Papa. En entrant, nous allons directement au bureau dans le coin.

Je m'exclame : « Dieu merci, il n'est pas verrouillé ! »

Je regarde autour du bureau de Papa, puis je fouille dans les tiroirs. La tablette est au-dessus de livres dans le tiroir inférieur du bureau.

« Yay ! » en frappant l'air avec un poing, mon autre main tenant la tablette.

—Mettons-nous au travail, dit Babirye. Il ne faut pas que ton père nous trouve dans son bureau.

J'allume la tablette.

—Alors, qu'est-ce qu'on cherche ?

—Nous devons vérifier le code qui a été utilisé pour construire le système d'exploitation, dit Sanyu. Voyons si quelque chose qui y a été ajouté ou si quelque chose ne fonctionne pas.

—Donne-moi la tablette, dit Babirye, en m'ôtant cette dernière de la main. J'ai une meilleure idée. Voyons ce que je peux faire. Elle commence à taper sur l'écran tactile de la tablette. « Je vérifie le journal d'activité de la tablette pour voir si quelque chose de louche s'est produit. »

Nous regardons tous par-dessus son épaule pendant qu'elle travaille. Ses petits doigts glissent et tapotent sur l'écran tactile si vite que j'ai du mal à suivre ses mouvements.

« Waouh ! Tu as ici des statistiques de jeu impressionnantes !

Je souris. Mon cœur s'emballe et je dois me rappeler que ce n'est ni le lieu ni le moment.

—Incredible Combat est difficile, mais pas pour moi.

—Eh bien, je dois aller au début des journaux d'activité. Consulter tout ce qui a été fait dans cette tablette. Il y a trop d'activité ! »

Nous continuons de regarder Babirye officier. À mi-chemin, j'arrête d'essayer de comprendre ce qu'elle fait. Elle continue de glisser et de tapoter pendant quelques minutes de plus.

Enfin, elle dit :

« Je sais ce qui ne va pas avec cette tablette.

—Alors, dis-nous ! dit Kunda.

—Quelqu'un sur le réseau y accède à distance, l'utilise pour partager la puissance de calcul avec d'autres systèmes informatiques sur le réseau, et les épuise. Il te regarde pendant que tu joues. C'est comme si tu jouais avec lui.

—Exactement ce que j'avais prédit, dit Sanyu.

Babirye me montre la tablette :

« Par exemple, tu vois ce journal de la nuit dernière ? Il montre que quelqu'un t'a envoyé manuellement des notifications pour que tu joues. Ces notifications n'ont pas été générées automatiquement par le jeu.

—Je sais que ce n'est pas moi qui ai accédé à distance à ma propre tablette. Et je ne pense pas que mon père le ferait sciemment. Il reste ma mère et Oncle Moses.

—N'est-ce pas Oncle Moses qui t'a offert la tablette comme cadeau de Noël ? » demande Kato.

Je hoche la tête. Puis la réalité m'apparaît : Oncle Moses est-il le méchant ?

Soudain, il y a des pas dans l'atelier, qui se dirigent vers le bureau.

Je dis : « Oh oh ! »

Babirye jette la tablette dans ma direction. Je la remets dans le tiroir où elle était et je referme ce dernier.

Les pas se rapprochent.

Je scrute la pièce. Un imposant bureau métallique occupe une grande partie de l'espace. Derrière le fauteuil de Papa se trouve une étagère contenant des livres. Pas d'endroit pour se cacher, donc !

Zut !

J'entends Oncle Moses dire, à bout de souffle, comme s'il courait :

« John, tu dois m'écouter.

—Non Moses, lui répond Papa. Ma réponse est toujours non.

Papa et Oncle Moses se dirigent vers le bureau.

—Tu as besoin de moi ici, John, dit Oncle Moses. Tu ne peux pas nier le fait que cette ferme a besoin de plus de personnel sur le pont. Tu en as perdu le contrôle !»

Papa ouvre la porte de son bureau et se fige. Il regarde mes amis et moi, ses yeux allant de l'un à l'autre.

Nous ressemblons à des souris piégées par un chat, sans endroit où se cacher.

Il demande : « Que faites-vous dans mon bureau, les gars ?

22

Papa secoue la tête et dit : « Tu te moques de moi ! »

Je viens de lui raconter ce que mes amis et moi avons fait dans son bureau. J'ai expliqué notre théorie et comment nous en sommes arrivés à la conclusion qu'Oncle Moses est à l'origine des attaques contre la ferme via ma tablette.

Oncle Moses éclate d'un rire bruyant : « C'est la chose la plus ridicule que j'aie jamais entendue ! dit-il. John, ne me dis pas que tu crois un mot de ce que disent ces enfants. Je pense qu'ils regardent trop de films de science-fiction ! Leur imagination est débordante ! »

Papa continue de secouer la tête, le visage sombre.

« Tu tomberais aussi bas pour sauver ta tablette, mon fils ?

—Bien sûr que non ! Puis je montre mon oncle du doigt. C'est lui qui m'a donné la tablette. Et je l'ai entendu proposer de rester pour t'aider. Ce n'est pas un homme bien, Papa. Il prépare quelque chose ! Nous devons appeler la police.

—Le fait qu'il t'offre un cadeau pour Noël et propose de rester ne fait pas de lui un homme mauvais. Ça fait de lui un homme bon. Et si je dois croire ce que tu dis à propos de l'accès à distance d'Oncle Moses à ta tablette, je ne pense pas que ce soit possible. Ton oncle fait une pause avec Internet.

—C'est vrai, dit Oncle Moses. L'une des raisons pour lesquelles je suis venu à ma ville natale était pour pouvoir me sevrer d'Internet et des ordinateurs en général. C'est pourquoi je n'avais même pas de téléphone sur moi. Je n'ai pas utilisé d'ordinateur depuis mon arrivée ici. Alors, comment ai-je accédé à distance à ta tablette ? »

Je me gratte la tête et je me rends compte que je n'ai pas de réponse à cela.

Papa sort la tablette du tiroir et la jette sur le sol en béton. Puis il l'écrase avec le talon de sa botte, faisant craquer l'écran.

Je crie : « Noooon ! »

Il marche à nouveau sur la tablette, fissurant encore plus l'écran. Il marche dessus une fois de plus et elle se désintègre en des dizaines de morceaux.

« Il n'y a plus de tablette à sauver maintenant, dit-il. Alors, arrête cette folie tout de suite ou tu auras un mois de punition. »

Puis il se tourne vers mes amis et continue : « Quant à vous, je pense que vous avez dépassé votre couvre-feu. Vous feriez mieux de rentrer à la maison maintenant. »

Je continue de regarder ma tablette détruite pendant que mes amis sortent du bureau.

Je repousse mes larmes. Mon père ne me croit pas.

« Je suis tellement déçu, mon fils. »

Soudain, Monsieur Makanika fait irruption dans le bureau.

« Monsieur Katende, dit-il en se tenant la poitrine et en essayant de retrouver son souffle. Monsieur Katende, je me suis précipité ici dès que j'ai appris ce qui s'est passé. Et je voudrais vous assurer que ce n'étaient pas mes drones ! Ils ne feraient jamais rien de tel. Vous êtes le premier agriculteur à les utiliser ce mois-ci et je les ai examinés avant de les apporter.

—Ça va, Makanika, dit Papa. Je sais que ce n'étaient pas tes drones. Nous avons eu un problème interne. Mais c'est réglé. »

La respiration de Monsieur Makanika se normalise. Puis il plisse ses grands yeux et, baissant la voix, dit :

« Alors, s'il vous plaît, dites-moi que mes drones ont survécu à cet accident, car je dois les livrer au prochain fermier dans quelques jours.

—Je suis désolé, Makanika, mais vos drones n'ont pas survécu à l'incendie.

—Quoi ? dit Monsieur Makanika en élevant la voix. C'est inacceptable ! Ces drones me rapportent plus d'argent que toute autre chose à l'atelier ! Et la saison des récoltes vient de commencer ! Que voulez-vous que je fasse ?

—Ma ferme est assurée. Je suis sûr que la compagnie d'assurances couvrira la perte de vos drones.

—Alors que vais-je faire en attendant, hein ? M'asseoir et perdre de l'argent ?

—Je ne sais vraiment pas quoi faire pour vous, Makanika. Je suis désolé.

—Vous avez raison ! Vous devriez être désolé ! Je n'apprécie pas que quelqu'un puisse s'amuser avec ma source de revenus ! Surtout pas maintenant, quand j'ai l'intention de demander la main de ma copine ! »

Mes yeux s'écarquillent de surprise. Je ne peux imaginer aucune femme tomber amoureuse du vieux Monsieur Makanika. Je demande :

« Vous avez une petite amie ?

—Tais-toi, jeune homme ! aboie Monsieur Makanika. Ton père vient de me faire perdre beaucoup d'argent et je réfléchis à des moyens de le faire payer ! »

23

« Je ne suis pas une mauvaise personne, non ?

—Bien sûr que non, Tendo, dit Babirye. Tu es une bonne personne. »

C'est le lendemain matin. Je suis en conversation vidéo avec Babirye. Ma nouvelle tablette détruite, je suis retournée à l'ancienne.

Babirye a appelé pour savoir comment j'allais et nous parlons depuis une trentaine de minutes déjà. C'est une fille si douce et si attentionnée. Je rassemble encore le courage que je peux pour l'inviter à sortir.

Depuis la mort de sa mère, Babirye est devenue réservée. Je pense que c'est la plus longue conversation qu'elle et moi avons eue en six mois. Avant cela, nous parlions pendant des heures de tout et de rien. Nous sommes les meilleurs amis du monde. Aujourd'hui, elle m'a dit qu'elle craignait de contracter un cancer du sein dans vingt ans. Que si elle étudiait la médecine à la place de l'informatique comme son père, elle pourrait, elle l'espère, aider plus de gens comme sa mère, et peut-être trouver un remède contre cette terrible maladie. Elle m'a aussi raconté comment elle pleurait parfois avant de s'endormir, comment sa mère lui manquait plus qu'elle ne le laissait croire. Et qu'elle ne sait pas comment parler de tout cela avec son père et son frère, car chacun d'eux semble vivre dans son propre monde, à faire le deuil seul, à sa manière. Elle est heureuse d'avoir enfin eu le courage d'en parler avec quelqu'un. Quant à moi, j'ai surtout écouté, car, que dire à une fille qui a récemment perdu sa mère ?

Puis, dans son style typique, Babirye ramène la conversation à moi, me demande comment je vais. Je lui parle des cauchemars et de mes grignotages frénétiques. Elle rit du fait que j'ai dû nettoyer ma chambre pour retrouver mon téléphone. Elle dit aussi qu'elle est heureuse qu'il y ait eu au moins un drame pendant ces vacances, ce qui l'a aidée à oublier sa mère et l'idée de ne pas être avec elle à Noël, qui approche à grands pas.

Pour la première fois depuis plus d'une semaine, j'ai passé une bonne nuit de sommeil, sans cauchemars.

De la fenêtre de ma chambre au premier étage, je peux voir les restes calcinés du champ de maïs.

Je demande à Babirye :

« Penses-tu que c'est Oncle Moses qui est derrière ce qui se passe à la ferme ?

—Je n'en suis pas si sûre, Tendo, dit-elle en haussant les épaules. Mais quelque chose ne va certainement pas avec ton oncle. Toutes ces choses ont commencé après son arrivée. Coïncidence ? De plus, je n'aime pas la façon dont il me regarde.

—Comment te regarde-t-il ?

—Je n'ai pas encore compris exactement comment. »

Je lui demande :

« Quelle est l'étendue des dégâts de l'incendie d'hier ?

—D'après les images satellites que j'ai vues la nuit dernière, 36 % seulement du champ de maïs ont été détruits. Seule Babirye se soucie de telles choses. Ton père a une assurance, donc il ne devrait pas s'inquiéter.

—Que fait l'assurance dans ce cas-là, au fait ?

—La compagnie d'assurances te rembourse lorsque tu as perdu quelque chose. Bien entendu, tu dois d'abord souscrire un contrat et payer une prime périodique.

—Alors, ils rembourseront le maïs perdu par mon père ?

—Ils lui donneront probablement de l'argent équivalent au maïs qu'il a perdu. Pas du vrai maïs.

—Oh… »

Dehors, sur la ferme, le vent se met à souffler. Puis il commence à bruiner.

« Hmmm… c'est bizarre, dis-je.

—Quoi ? demande Babirye.

—Il commence à pleuvoir dehors. Nous sommes en saison sèche et, selon les prévisions météorologiques de ce mois, aucune pluie n'est prévue aujourd'hui. Il ne devrait pleuvoir que le lendemain de Noël et le trente. Les autres jours sont censés être ensoleillés. C'est pourquoi mon père a les drones. Cette semaine, le temps doit être très chaud.

—Les prévisions météorologiques de ton père sont-elles fiables ?

—D'aussi loin que je me souvienne, elles ont toujours été fiables. »

La pluie commence à augmenter en intensité. Je suis obligé de me lever et de fermer la fenêtre.

Puis il se déverse des torrents d'eau accompagnés de grêlons.

« Quelque chose ne va pas du tout, dis-je. »

La porte de ma chambre s'ouvre et Papa entre.

« Ce n'est pas moi ! dis-je en le surveillant pour déceler tout signe de colère. »

Papa secoue la tête et se dirige vers la fenêtre. Il se tient devant pendant un moment, regardant tranquillement la pluie rebondir sur la vitre. Les mains au fond de ses poches, il dit :

« Je ne sais pas ce qui ne va pas avec ma ferme cette semaine.

—Je n'ai jamais voulu vous causer d'ennuis, Papa, dis-je.

—Je sais, fils. Ce n'est pas ta faute. Mais vous devez faire attention à la manière dont vous utilisez la technologie. Elle peut devenir dangereuse si elle est mal employée »

Il se tourne vers mon ancienne tablette sur son support ; le visage de Babirye remplit l'écran.

« N'est-ce pas vrai, Babirye ? »

Babirye hoche la tête et dit :« Oui, Monsieur. »

« Il est très évident que ta tablette n'est pas la cause de cette tempête » dit Papa. J'espère qu'il va s'excuser d'avoir détruit ma tablette, mais ce n'est pas le cas.

Je sors mon téléphone et envoie un SMS au groupe de mes amis :

« Vous voyez la tempête ? C'est énorme !

—Vraiment ? dit Kunda. Il n'y a pas de tempête ici. Le soleil brille. »

Sanyu écrit : « Comment peut-il y avoir une tempête à la ferme quand il fait très chaud et sec ici ? »

Je dis : « Il n'y a pas de tempête ailleurs en ville ». Et je constate. Ce n'est pas une tempête naturelle et normale.

Fouillant dans ma garde-robe, je sors un imperméable. Alors que je l'enfile, Papa se retourne avec un regard curieux sur son visage.

Il demande :

« Où vas-tu ?

—Dehors, pour découvrir ce qui ne va pas. Il ne peut pas pleuvoir comme ça à cette période de l'année.

—Je sais. Quelque chose ne va pas. Mais c'est dangereux là-bas.

—Ne t'inquiète pas, tout ira bien.

—Tu es sûr que tout ira bien ? demande Babirye. L'inquiétude dans sa voix me réchauffe le cœur.

—Ne t'inquiète pas pour moi. On se parle plus tard.

—Fais attention » dit-elle en raccrochant.

Je ne peux plus rester assis et regarder la ferme de mon père se détruire. Les soixante-quatre pour cent du maïs qui restent seront ravagés par cette pluie. Il ne s'agit plus de me débarrasser d'actes répréhensibles et de récupérer ma tablette. Ce n'est plus possible. Je me dois de sauver la ferme de Papa et c'est la seule chose à laquelle je pense.

Je relève le capuchon de l'imperméable sur ma tête et fais face à la pluie.

24

Je monte sur l'un des scooters de Papa et sors dans le champ de maïs. Tout est détruit autour de moi. Certaines parties du champ ont été dévastées par le feu et le sol est noir de cendres. Les plantes qui n'avaient pas été touchées par le feu sont maintenant pliées sous le poids des grêlons. Certaines tiges gisent déjà au sol, déracinées par les vents violents.

Le vent hurle et ne cesse de me frapper au visage. Je dois m'essuyer la face avec ma main gauche tandis que de la droite, je fais tout pour maintenir le scooter stable dans la pluie qui fouette mon visage.

Je roule une quinzaine de minutes puis je m'arrête.

Je me demande : « À leur place, où les mettrais-je ? »

J'ai tant de fois regardé la carte de la ferme. Je me la remémore maintenant et je réfléchis sérieusement. Puis je redémarre le scooter, tourne à droite et roule aussi vite que la tempête me le permet. En cinq minutes, je trouve ce que je cherche, à moitié enfoui dans le sol meuble.

L'un des Rainmakers d'Oncle James.

****

Je n'ai jamais vu un Rainmaker en action, mais mon instinct me dit qu'il y en a d'autres. Une tempête aux proportions aussi énormes ne peut être créée par un seul Rainmaker. Ou est-ce que c'est possible ?

Avec la carte de la ferme toujours en tête, je me mets à la recherche des autres Rainmakers.

Vingt minutes plus tard, je trouve les quatre Rainmakers, les désactive et les empile sur mon scooter. Cependant, ils sont si lourds que ce dernier commence à avoir du mal à se déplacer dans la boue. Deux des Rainmakers tombent à terre.

La tempête s'arrête, aussi brusquement qu'elle avait commencé.

En moins d'une minute, la bruine cesse et le soleil se lève, brillant comme s'il n'avait pas du tout plu.

Je renonce à essayer de transporter tous les Rainmakers de la ferme à l'atelier. Je prends les deux qui peuvent être confortablement installés sur mon scooter et je démarre.

Papa et Oncle Moses m'attendent à l'atelier.

Papa demande :

« Qu'est-ce que c'est ?

—Des Rainmakers », dis-je.

Oncle Moses s'avance, touche les appareils sur le scooter et dit :

« Sensationnel ! Ce sont ces choses qui ont causé la tempête ? John, ne seraient-ce pas là les appareils que Makanika voulait te vendre l'autre jour ?

—Si ce sont ceux fabriqués par Oncle James, alors ce sont eux, dit Papa.

—Il y en a quatre, dis-je. Oncle James a déclaré qu'il n'avait fabriqué que quatre prototypes avant que le gouvernement ne refuse de lui accorder une licence. Nous avons emmené les quatre à l'atelier de réparation de Monsieur Makanika. Donc, ce sont eux.

—Hmmm… dit Papa en se grattant la barbe. Alors comment sont-ils arrivés dans ma ferme ?

—J'ai mon idée, dit Oncle Moses. Tu te souviens que Makanika a dit qu'il trouverait un moyen de te faire payer d'avoir détruit ses drones ? C'était peut-être sa vengeance.

—Je vais aller à l'atelier et le confronter, dit Papa. Ce n'est pas ainsi qu'on traite un client.

—Je viens avec toi, dit Oncle Moses.

—Moi aussi, dis-je.

—Tu ne peux pas venir, Tendo, dit Papa. Regarde-toi. Tu es tout trempé. Tu dois changer tes vêtements et prendre du chocolat chaud avant d'attraper un rhume.

—Alors je vais me changer tout de suite. Le chocolat chaud peut attendre. Le soleil est là. Il me réchauffera.

—D'accord. Dépêche-toi. En attendant, je vais chercher les deux autres Rainmakers. Où les as-tu laissés ? » demande Papa alors qu'il monte sur un scooter.

Je lui dis où j'ai posé les Rainmakers qui étaient trop lourds pour que je les prenne sur mon scooter. Puis je me précipite dans ma chambre et mets des vêtements secs. Alors que je redescends les escaliers, je m'arrête.

Mon téléphone ! Je dois dire à mes amis ce qui s'est passé.

Je me précipite, le ramasse et redescends. Mon père et mon oncle sont déjà dans le camion à double cabine, assis à l'avant, et m'attendent. Ils ont mis les quatre Rainmakers à l'arrière.

Je monte sur la banquette arrière.

Sur mon téléphone, j'envoie un SMS à mes amis :

« Les gars, devinez quoi ? Nous avons trouvé des Rainmakers à la ferme ! Ils ont provoqué une énorme tempête ! Nous allons maintenant à l'atelier de Monsieur Makanika. Nous pensons que c'est lui qui les a mis là-bas. »

Babirye écrit : « Pourquoi Monsieur Makanika aurait-il mis les Rainmakers à la ferme ? »

Je leur raconte que Monsieur Makanika est venu à la ferme après leur départ et a menacé Papa parce que ses drones avaient été détruits.

Kunda écrit :

« Peut-être que Monsieur Makanika est le méchant que nous recherchons depuis le début.

—Il n'aurait pas pu allumer cet incendie, dit Babirye. Il avait ses drones à la ferme. »

Kato texte :

« Et si ses drones étaient vieux et qu'il avait besoin de nouveaux ?

—Pourquoi ne pas simplement en acheter de nouveaux ? dit Kunda.

—Alors il aurait utilisé son propre argent, dis-je, en envoyant des SMS rapidement, alors que la théorie de Kato commence à avoir un sens pour moi. Mais si les drones sont détruits dans la ferme de mon père, alors il lui ferait payer. »

Je surprends Oncle Moses qui me regarde dans le rétroviseur. Il sourit et dit : « Ah, les adolescents et leurs téléphones ! On dirait qu'ils sont une extension de leurs bras, une partie vitale de leur corps. »

L'atelier de réparation de Monsieur Makanika n'est pas très loin en voiture, mais Papa se concentre sur la route. Main Street est très fréquentée.

J'ignore mon oncle et regarde mon téléphone pour voir ce que disent mes amis. Il y a deux SMS non lus :

« Alors, pourquoi a-t-il déclenché une tempête à la ferme ? demande Babirye.

—Peut-être parce que le père de Tendo a refusé de le payer rapidement ? » dit Kato.

J'envoie un SMS :

« Les gars, je dois y aller. Nous sommes arrivés à l'atelier. »

Babirye texte : « Nous venons aussi ! »

Je range mon téléphone et sors de la voiture.

25

Monsieur Makanika a dû nous voir par la fenêtre de son bureau. Dès que nous entrons dans son atelier de réparation, il sort et dit :

« Monsieur Katende, êtes-vous venu parler du paiement de mes drones qui ont été détruits hier ?

—Ne t'inquiète pas pour eux, dit Papa. J'ai déjà déposé une déclaration de sinistre auprès de ma compagnie d'assurances. Et ils paient assez vite. Dans un jour ou deux, tu auras de nouveaux drones. Aujourd'hui, je suis venu acheter les Rainmakers. Tu m'as dit qu'ils étaient en solde, non ?

—C'est vrai, dit Monsieur Makanika en clignant de l'œil. Je suis tellement content que vous ayez changé d'avis. Ces bébés sont parfaits. Suivez-moi. Ils sont quelque part ici, à l'arrière. »

Nous suivons tous Monsieur Makanika qui nous mène vers l'arrière de l'atelier de réparation. Je ne peux m'empêcher de me demander comment Monsieur Makanika peut garder un visage impassible, alors qu'il sait très bien que les Rainmakers ne sont pas dans son magasin.

« Tendo ! »

Je me retourne et vois Babirye, Kato, Sanyu et Kunda courir vers nous. Ils devaient être chez Kunda en train de jouer avec sa nouvelle tablette. C'est pour cette raison qu'ils sont arrivés aussi vite.

Je fais : « Chut ! » en mettant un doigt sur mes lèvres pour signaler à mes amis de se taire. La dernière chose que je veux, c'est qu'ils commencent à parler du contenu de nos SMS d'il y a quelques minutes.

Monsieur Makanika s'arrête soudain et pose ses mains sur sa tête. Ses yeux, qui sortent presque de leurs orbites, fixent un espace vide sur l'étagère industrielle en acier.

« Où sont mes Rainmakers ? crie-t-il. Je jure qu'ils étaient ici hier soir quand j'ai fermé boutique !

—En fait, ils sont à l'arrière de mon camion, dit Papa. Je les ai trouvés dans ma ferme où ils ont causé beaucoup de dégâts à mes plantes.

—Quoi ? dit Monsieur Makanika en secouant la tête avec incrédulité. C'est impossible !

—C'est ce que j'ai aussi pensé. Mais veux-tu nous expliquer pourquoi tes Rainmakers étaient dans ma ferme, provoquant des pluies torrentielles sur mes cultures ?

—Êtes-vous en train de dire que je les ai mis là-bas ? Maintenant, pourquoi ferais-je une telle chose ? Monsieur Makanika a l'air sidéré. Si, effectivement, c'est lui qui a mis les Rainmakers à la ferme, c'est un très bon acteur.

—À toi de me le dire ! » dit Papa en élevant la voix. Il a beaucoup élevé la voix ces derniers temps.

Monsieur Makanika se gratte la barbe en regardant le toit en tôle.

« Oui ! Je sais ce qui a dû arriver ! dit enfin Monsieur Makanika. Quelqu'un les a volés ici et les a emmenés dans votre ferme.

—Pourquoi quelqu'un volerait-il dans un atelier de réparation vendant du matériel ancien, de qualité inférieure et obsolète ? demande Oncle Moses.

—Bonne question, dit Monsieur Makanika. Bref, comme je le disais, quelqu'un les a volés. Et j'ai des caméras de sécurité ! Allons à mon bureau et regardons les enregistrements. Nous saurons qui les a volés et nous réglerons ce malentendu une fois pour toutes. »

Monsieur Makanika ouvre la voie vers son bureau.

Babirye me chuchote :

« Je pense que Monsieur Makanika dit la vérité.

—Je le croirai quand je verrai ces images », dit Kato.

Le bureau de Monsieur Makanika a subi une transformation majeure depuis la dernière fois que je l'ai vu. Bien qu'on y soit encore à l'étroit, ses murs métalliques ont maintenant une nouvelle couche de peinture crème. Il y a des fleurs en plastique dans un vase sur le bureau de Monsieur Makanika. Et le vieux canapé usé a une nouvelle housse. Après tout, peut-être que Monsieur Makanika a réellement une petite amie !

Tous les huit, nous nous entassons dans le bureau pendant que Monsieur Makanika démarre un vieil ordinateur qui ressemble à ceux du siècle dernier. En quelques secondes, nous regardons les enregistrements des caméras de sécurité de la nuit précédente. L'écran est divisé en quatre sections, chacune affichant des vues différentes de l'atelier, mais avec le même horodatage.

« J'ai quitté cet endroit à neuf heures, dit Monsieur Makanika. Donc, le vol a dû se produire après. » Il fait avancer rapidement les images après neuf heures. Ensuite, il les maintient en mode avance rapide, mais pas aussi vite qu'avant. Il se penche en avant dans sa chaise pivotante branlante, plissant les yeux pour voir tout ce qui ne va pas sur les images.

Soudain, l'écran devient blanc.

« Qu'est-il arrivé ? demande Papa.

—Je ne sais pas ! dit Monsieur Makanika.

—Les caméras ont été éteintes », dit Sanyu.

26

« Comme c'est pratique ! dit Oncle Moses.

—Êtes-vous en train de dire que j'ai éteint mes propres caméras pour qu'elles n'enregistrent pas le vol ? demande Monsieur Makanika.

—Non, dit Oncle Moses. Je dis que tu as pu facilement éteindre tes caméras pour que si nous venions te demander, tu nous serves une histoire très pratique. Tu as volé dans ton propre magasin, puis installé les Rainmakers dans la ferme de mon frère. Admets-le !

—C'est absurde ! Je n'ai aucune raison de vouloir ravager la ferme de Monsieur Katende !

—Peut-être étais-tu en colère parce qu'il avait abîmé tes drones ?

—La destruction de sa ferme ramènerait-elle mes drones ? Et n'a-t-il pas promis de les rembourser ?

—Alors pourquoi as-tu menacé de te venger ?

—Vous êtes fou ?

—Messieurs, dit Papa en levant les mains et en se mettant entre les deux hommes avant qu'ils n'échangent des coups. Calmez-vous. Je suis sûr que nous pouvons résoudre ce problème comme des gens civilisés. Puis, se tournant vers mes amis et moi, attentifs au drame qui se déroule, Papa, en baissant la voix nous dit : Euh, les gars, pourquoi ne nous laissez-vous pas seuls quelques minutes ?

Je grogne dans ma barbe alors que mes amis et moi quittons la pièce.

« Je pense que c'est Monsieur Makanika », dit Kato, une fois que nous sommes hors d'écoute des adultes.

Je donne un coup de pied à un caillou imaginaire sur le sol en faisant, les mains dans mes poches, des allers-retours dans une allée bordée de machines à laver de la décennie précédente. Je me mords la lèvre. Mon esprit s'emballe. Nous n'avons aucune preuve réelle que c'est Monsieur Makanika qui a amené les Rainmakers à la ferme, mis à part le fait qu'il était avec ces derniers hier soir. Et si quelqu'un avait réellement volé les Rainmakers, comme l'a dit Monsieur Makanika ? Serait-ce la même personne qui a accédé à distance à ma tablette et causé des ravages à la ferme ? Si ce n'était pas la même personne, cela signifierait-il que la tempête n'était pas liée à la panne de courant et aux robots endommagés ? Serait-ce Oncle Moses ? Mais si c'est Oncle Moses, comment a-t-il fait ? Et pourquoi voudrait-il détruire la ferme de son frère ?

Où était Oncle Moses hier soir ?

Mes amis se disputent entre eux pour savoir qui est le méchant, et maintenant ils pensent aussi que ce pourrait être Oncle Moses.

Finalement, j'arrête de faire les cent pas devant eux et dis : « Si c'est Oncle Moses, je sais comment le démasquer ! »

Maintenant que j'ai l'attention de mes amis, je sors mon téléphone et je continue : « Avec mon téléphone, je peux accéder au réseau à la maison et découvrir si quelqu'un est sorti par le portail tard dans la nuit. »

J'accède à notre réseau domestique et vérifie le système de sécurité du portail. Puisque presque tout dans le domaine est informatisé, des toilettes aux réfrigérateurs, aux moissonneuses-batteuses, aux portails et même aux rideaux, il est facile de savoir ce qui est arrivé à partir de l'un des ordinateurs, tablettes ou téléphones connectés.

« La porte a été ouverte puis fermée à 21 h 45 hier soir ! dis-je, excité. Et elle a été ouverte et refermée quinze minutes plus tard ! Quelqu'un est sorti du domaine à peu près au même moment où quelqu'un volait Monsieur Makanika !

—Ce pourrait être une coïncidence, dit Kato.

—Hmmm... » dit Babirye en se caressant le menton. Peut-être. Mais le timing est très suspect. Et il y a eu beaucoup trop de coïncidences ces derniers temps. Tendo, peux-tu accéder aux caméras installées à la porte ? Peut-être que nous verrons qui est sorti.

Je tape un peu sur mon téléphone et dis :

« Surprise ! Surprise !

—Quoi ? demande Kunda.

—Les images de la caméra à la porte ont également été supprimées !

—Alors, celui qui a quitté votre maison la nuit dernière est probablement la même personne qui a volé les Rainmakers ! dit Kunda.

—Exactement ! dis-je. Et je ne pense pas que ce soit quelqu'un d'autre qu'Oncle Moses.

—Attends, dit Sanyu, qui est restée silencieuse tout ce temps. Il y a une autre possibilité. Et si le portail s'ouvrait et se fermait pour la première fois parce que quelqu'un entrait au lieu de sortir ?

—C'est un bon point, dit Babirye.

—Cette personne aurait besoin soit d'avoir sa paume enregistrée dans le système de sécurité, soit de connaître le code de sécurité pour ouvrir la porte, dis-je.

—Veux-tu que je pirate votre réseau domestique maintenant et que je vous ouvre la porte ? demande Sanyu.

—Je crois que tu peux, dis-je. Mais je ne pense pas que Monsieur Makanika ait fait cela. Je ne pense pas qu'il le puisse. Qu'en dites-vous ?

—Rien n'est impossible », dit-elle.

Je soupire et lève les mains. « C'est vrai, dis-je, mais entre Oncle Moses et Monsieur Makanika, je choisirais Oncle Moses. Monsieur Makanika est trop bon pour faire ça ».

Kato dit :

« Comment aurait-il pu porter les quatre Rainmakers ? Ils sont bien trop lourds pour être transportés de l'atelier à ta maison.

—C'est un point important, dis-je, puis je me dirige vers la voiture. Je parie qu'il a utilisé le camion de mon père. »

Mes amis me suivent jusqu'à la voiture. Nous montons et j'allume l'ordinateur du tableau de bord. Il montre également que les journaux d'activité de la nuit dernière ont été supprimés.

—Monsieur Makanika a son propre camion, dit Kato. Il n'aurait pas eu besoin de celui de ton père. Les gars, je pense que nous venons de confirmer qui est notre méchant.

—Ce type a vraiment couvert ses traces ! dis-je en m'asseyant sur le siège conducteur du camion.

—Le fait qu'il ait couvert ses traces est une preuve suffisante pour nous. S'il n'avait rien à cacher, il n'aurait pas effacé ses traces ! dit Babirye.

—Et il les a mal cachées, dis-je. Il a oublié les journaux d'activité de presque tout à la maison, en particulier l'ouverture et la fermeture du portail.

—Retournons au bureau de Monsieur Makanika et demandons à l'oncle de Tendo où il était la nuit dernière, dit Sanyu. »

27

« j'étais où hier soir ? demande Oncle Moses, incrédule. C'est quoi cette question ? »

Nous sommes tous de retour dans le bureau exigu.

—Tendo, je pensais que tu avais arrêté d'accuser à tort ton oncle, dit Papa.

—Mais toutes les preuves pointent vers lui, dis-je.

—C'est incroyable ! hurle Oncle Moses. Puis il pousse un cri et ses mains volent vers son œil gauche. Aïe !

Papa va vers son frère et le tient. Il dit :

« Moses ! Qu'est-ce qui ne va pas ?

—Mon œil ! dit Oncle Moses, se tordant de douleur. Aïe ! Mon œil ! Ça fait mal ! »

Soudain, les yeux d'Oncle Moses – le droit injecté de sang, le gauche saignant réellement – se portent sur Sanyu.

Sanyu ne semble pas remarquer ce qui se passe autour d'elle. Ses yeux sont rivés sur son téléphone et elle tape dessus avec fureur. Sa mâchoire est crispée et son front plissé.

« Aaarrgh ! il crie, en se précipitant sur elle. Pourquoi tu fais ça ? »

Babirye hurle : « Sanyu ! »

Puis, c'est le chaos.

Le téléphone de Sanyu tombe au sol et glisse vers la porte. Je saute pour l'attraper.

Kato et Kunda combattent le grand homme costaud qui est sur Sanyu. Le cri de Babirye est assourdissant. Monsieur Makanika aboie des ordres :

« Qu'ils aillent se battre à l'extérieur ! »

—Arrêtez ça ! Papa crie, les poings serrés pendant de chaque côté de son corps. J'ai dit d'arrêter ça maintenant ! »

C'est un enchevêtrement de jambes et de bras sur le sol du bureau de Monsieur Makanika.

Finalement, Monsieur Makanika et Papa se joignent à la bagarre et maîtrisent Oncle Moses. Il se lève et jette à tous un regard noir. Puis il sort du bureau comme s'il y avait le feu.

« Ne le laissez pas partir, dit Sanyu. Il est coupable de tout, et je peux le prouver.

—Comment ? demande Papa.

—Son œil gauche est un œil robotique. Je l'ai piraté avec mon téléphone et j'ai récupéré quelque chose que vous voudrez peut-être voir.

—Il s'en va ! » dit Monsieur Makanika.

Papa s'enfonce dans le vieux canapé, soudain fatigué.

« Laisse-le partir. Mais je veux voir ce que tu as, Sanyu.

—Attends ! dit Monsieur Makanika en tendant la main. Tu viens de dire œil robotique ? Qu'est-ce que c'est que ça ?

—C'est une prothèse oculaire, dit Sanyu, c'est juste que celui-ci est informatisé. C'est comme un mini-ordinateur dans votre tête. Le frère de Monsieur Katende a fait mettre un robot dans son orbite, là où se trouvait son œil gauche. Un œil robotisé fonctionne mieux qu'un œil réel. »

Monsieur Makanika se rassoit sur sa chaise et siffle :

« Continue, s'il te plaît.

—Pendant qu'Oncle Moses supprimait ses activités sur d'autres ordinateurs, il a oublié l'ordinateur dans sa tête. Je ne pense pas qu'il s'attendait à ce que quelqu'un le vérifie.

—Je ne savais même pas que ce n'était pas un œil réel et naturel ! dit Kunda.

—Le pirater n'était pas si difficile, ajoute Sanyu. Les yeux robotiques sont une invention récente, d'à peine un an. Leur technologie n'est pas suffisamment affinée et ils sont encore sujets aux attaques. Alors, j'ai attaqué son œil et j'ai copié tout son disque dur. Attendez, où est mon téléphone ?

—Je l'ai, dis-je en le lui donnant. J'ai plongé comme un gardien de but. S'il avait mis la main dessus…

—Le piratage… ça avait l'air vraiment douloureux, dit Babirye en tressaillant.

—Mon intention n'était pas de lui faire mal, dit Sanyu – je ressens du remords dans sa voix. Mais de toute façon, j'ai des informations que vous devriez consulter. Son œil garde une trace de tout ce qu'il voit. Il l'a aussi utilisé pour accéder à distance à la tablette de Tendo sans avoir besoin d'utiliser un vrai ordinateur. On dirait qu'il avait programmé la tablette bien avant de la donner à Tendo pour pouvoir y accéder facilement quand il le voulait.

—Je savais que j'avais raison à son sujet ! dis-je.

—Tu voulais nous montrer quelque chose, Sanyu, dit Papa.

—Oh, oui. Vous m'autorisez à utiliser votre ordinateur, Monsieur Makanika ?

—Il est tout à toi », répond ce dernier en quittant sa chaise.

Sanyu s'assoit devant l'ordinateur de Monsieur Makanika et accède au disque dur de son téléphone depuis celui-ci.

Nous nous rassemblons tous autour d'elle pour voir ce qu'il y a à l'écran.

Sanyu commence la lecture d'une vidéo.

« C'est de la nuit dernière, dit-elle. Je pensais que vous devriez voir ce que vous ne pouviez pas voir lorsque les caméras de Monsieur Makanika étaient désactivées. Au fait, je pense qu'il a utilisé son œil robotique pour les désactiver. En fait, il a utilisé cet œil pour faire beaucoup de choses. »

Sur l'écran passe une vidéo granuleuse, montrant l'atelier de réparation. C'est comme si celui qui a tourné la vidéo la tenait devant son visage et se déplaçait avec. Bien sûr, nous savons maintenant qu'il s'agissait de l'œil robotique d'Oncle Moses.

La vidéo montre les Rainmakers sur l'étagère dans l'atelier de réparation. Ensuite, deux mains robustes se tendent et portent deux des Rainmakers en direction d'un camion. Il est indéniable que le camion n'est autre que celui de Papa. Quelques secondes plus tard, ces mains encore transportent les deux autres Rainmakers jusqu'au camion de Papa.

« Il y a des centaines d'heures de séquences, dit Sanyu, mais un certain nombre d'entre elles ne devraient pas être vues par des personnes de moins de 18 ans.

—Ça suffit, Sanyu, dit Papa. J'en ai assez vu. »

Il recule et s'effondre sur son emplacement précédent sur le canapé. Son front est pensif et il semble avoir pris dix ans en quelques minutes.

—Je me demande pourquoi il a fait tout ça, dis-je.

—Je pense que je sais pourquoi, dit Papa en me regardant avec des yeux tristes.

28

« Pourquoi a-t-il fait ça, Papa ?

—C'est une longue histoire, mon fils. »

Monsieur Makanika ouvre son mini-réfrigérateur et dit : « J'ai des boissons. Rien ne vous empêche donc de nous raconter votre longue histoire, Monsieur Katende. »

Papa offre à Monsieur Makanika un sourire fatigué et dit :

« Ça veut dire que tu me pardonnes d'avoir pensé que tu étais celui qui avait utilisé les Rainmakers pour détruire mon champ de maïs ?

—Racontez-nous la longue histoire et je vous pardonnerai, dit Monsieur Makanika en lui tendant un soda. Mais cela ne veut pas dire que j'ai oublié mes drones. »

Papa ouvre la canette de soda et prend une gorgée. « Ne t'inquiète pas. Tu récupéreras tes drones. Je te le promets. »

Kato et Kunda sont assis en tailleur, sodas à la main. Sanyu reste assise dans le fauteuil pivotant de Monsieur Makanika, mais le tourne pour faire face à mon père. Monsieur Makanika rejoint mon père sur le canapé. Je m'appuie contre le mur, la jambe gauche pliée, le pied planté sur le mur. Babirye vient pour me rejoindre et s'appuie contre le mur, son bras frôlant le mien.

« Zut ! », dit-elle de sa voix si basse que moi seul peux l'entendre. Et l'intrigue s'épaissit.

Je demande à nouveau : « Pourquoi a-t-il fait ça », Papa ?

Papa prend une autre gorgée de son soda et dit :

« Quand notre père est mort, il nous a laissé la ferme. C'était beaucoup plus petit que maintenant. Et bien sûr, à cette époque, le progrès technologique en agriculture n'était pas ce qu'il est aujourd'hui. Moses n'était pas du tout intéressé par l'agriculture, et m'a donc laissé tout le travail. Mais après chaque saison, il s'attendait à ce que nous partagions les bénéfices en deux, même s'il n'avait rien fait pour gagner sa part. Cela ne m'aurait pas dérangé de lui donner une partie de l'argent que j'avais gagné à la ferme. Mais il n'a jamais accepté ce que je proposais. Il a continué à vouloir plus d'argent, refusant de réinvestir les bénéfices afin que nous puissions agrandir la ferme et en tirer encore plus d'argent.

« Nous avons continué à nous battre pendant plus d'un an, jusqu'à ce que je n'en puisse plus. J'ai proposé de racheter sa part. Chacun de nous possédait la moitié de la ferme. Alors, j'ai proposé de racheter sa moitié. J'ai fini par payer deux fois la valeur de sa moitié de la ferme, juste pour me débarrasser de lui.

—Mon Dieu ! s'exclame Monsieur Makanika. C'est comme une tique sur une vache, à sucer autant de sang que possible, jusqu'à en exploser !

—Alors pourquoi ne m'avez-vous pas cru au début quand je vous ai dit que c'était lui qui utilisait l'onglet pour provoquer les dégâts à la ferme ? Il est évident que tous les problèmes ont commencé à son arrivée.

—J'arrive à cette partie de l'histoire, dit Papa en prenant une gorgée de soda.

—Puis-je avoir du soda ? demande Kunda.

Je suis à peine à la moitié du mien, mais Kunda en réclame déjà un autre !

—Juste un de plus », dit Monsieur Makanika en lui tendant un autre soda.

Papa continue :

« Quand il est parti, je n'ai plus jamais entendu parler de lui. Pendant des années, j'ai essayé de le contacter, mais en vain. Je ne savais pas où il était allé. J'ai commencé à regretter d'avoir suggéré de racheter sa part. J'avais maintenant la ferme, mais j'avais perdu mon frère, mon seul parent vivant à l'époque.

« Alors, quand il m'a contacté le mois dernier, me demandant s'il pouvait venir pour les vacances de Noël, j'étais heureux. Je ne pensais qu'à retrouver mon frère. J'ai vite oublié ses manigances. Je croyais qu'il avait changé. Alors, même quand tu m'as dit qu'il était derrière les attaques sur ma ferme, je ne voulais pas le croire. Il proposait de revenir aider à la ferme. D'après les conversations que nous avons eues ces derniers jours, je peux maintenant comprendre qu'il voulait détruire ma ferme afin que je me tourne vers lui pour obtenir de l'aide. Je suppose qu'il voulait, après un certain temps, prendre le contrôle de la ferme ».

Kunda rejette la tête en arrière et secoue sa canette de soda vide au-dessus de sa bouche ouverte, la langue tirée, pour attraper les dernières gouttelettes. Puis il dit : « Attendez, alors ce type voulait créer des problèmes, puis proposer des solutions et se faire passer pour le bon gars ? »

Babirye fronce les sourcils et demande :

« Pourquoi ne vous a-t-il pas proposé de vous aider, comme le feraient les gens normaux ?

—C'est ce qu'il a d'abord fait, mais j'ai refusé, parce que je ne voulais plus avoir d'ennuis avec lui. Je voulais que mon frère revienne dans ma vie, mais je ne voulais pas de lui comme partenaire en affaires. Je ne savais pas qu'il se donnerait autant de mal pour me convaincre que j'avais vraiment besoin de son aide. Parfois, l'amour vous fait ignorer les travers des gens.

—Cela explique pourquoi vous m'avez à peine parlé de lui, dis-je.

—J'ai pensé que jamais je ne le reverrais. Et je ne voulais pas que tu penses avoir un oncle à la moralité douteuse. Sais-tu que j'ai trouvé des enregistrements d'entrée dans mon bureau que je ne pouvais pas expliquer ? Je pensais que j'avais peut-être oublié être allé à mon bureau, ou que vous y étiez allé faire des bêtises sans ma permission. Je refusais de penser que mon frère puisse accéder à mon bureau. Je me demande ce qu'il a bien pu y faire. »

29

Oncle Moses a disparu. Papa a même porté plainte à la police afin qu'elle le recherche, mais elle a échoué jusqu'à présent. On ne le trouve même pas en ligne. Ses numéros de téléphone sont déconnectés. C'est comme s'il n'avait jamais existé avant de venir chez nous.

Cet après-midi, quand nous rentrons à la maison, Papa et moi nous nous dirigeons vers la chambre d'Oncle Moses et découvrons qu'il y a laissé ses affaires. En fouillant, nous ne trouvons aucun indice susceptible de nous indiquer où il aurait pu aller ou d'où il venait.

Nous découvrons plus tard qu'après avoir quitté l'atelier de Monsieur Makanika, Oncle Moses a tenté une dernière fois d'accéder à l'ordinateur de bureau de Papa. Ce dernier contient la plupart de ses documents importants et des inventions agricoles qu'il utilise pour gérer toute son entreprise. Si nous n'avions pas confondu Oncle Moses et déjoué ses plans, il aurait continué à essayer, et peut-être réussi à contourner la sécurité stricte de l'ordinateur. Une partie de la technologie que mon père utilise dans sa ferme est brevetée et il a payé beaucoup d'argent pour l'obtenir. Si mon oncle avait mis la main dessus et avait pu la pirater, je ne peux imaginer ce qu'il en aurait fait.

Je me rends compte que tout au long du séjour de mon oncle à la ferme, je n'ai rien découvert à son sujet. Que faisait-il dans la vie ? Où vivait-il ? Avait-il une femme et des enfants ? Il a toujours été inventif pour esquiver toutes les histoires personnelles, se cachant derrière une fausse camaraderie. Peut-être qu'il a partagé son histoire, réelle ou inventée, avec Papa, mais en tout cas pas avec moi.

La ferme a repris ses activités normales. Papa a perdu tout son maïs pour cette saison, à la grande déception de ses clients. Ce qui n'avait pas été détruit par l'incendie l'a été par l'orage. Mais la compagnie d'assurances l'a indemnisé et il planifie déjà la prochaine saison de plantation.

Mes amis et moi avons finalement pu faire de l'agriculture à la ferme, sous la supervision de Papa, bien sûr. Nous avons planté des haricots et c'est un plaisir de les voir pousser. Sanyu est la plus enthousiaste de nous tous.

Monsieur Makanika a ses nouveaux drones, mais il ne cesse de se plaindre du seul agriculteur qui a raté leur utilisation et de la manière dont il a perdu cet argent-là. Les plantes de cet agriculteur n'ont pas été brûlées par les rayons du soleil, alors peut-être n'avait-il pas vraiment besoin de ses drones. À présent, Monsieur Makanika doit craindre de perdre les revenus futurs de cet agriculteur et peut-être même d'autres agriculteurs, s'ils commencent à penser que ses drones sont plus un luxe qu'une nécessité.

Après avoir récupéré les Rainmakers, Monsieur Makanika les a démontés et les vend maintenant en pièces détachées.

Ma punition a été levée, mais je me plains toujours. Je répète à Papa :

« Je n'arrive pas croire que vous avez détruit ma tablette.

—Très bien, je vais t'en acheter une autre. Maintenant arrête de pleurnicher ! dit enfin Papa.

—Mais maintenant, je vais devoir repartir de zéro et accumuler des points dans les jeux.

—Ne t'inquiète pas, tu n'es pas le seul. Moi aussi, je pars de zéro à la ferme.

—Mais tu pars toujours de zéro à chaque saison.

—C'est la vie, mon fils. »

****

Ces derniers temps nous passons nos journées dans l'appartement de Kunda à jouer avec sa tablette. Ayant beaucoup d'expérience avec la mienne, je continue de battre mes amis. Ils ne s'arrêtent pas de me supplier de leur apprendre à jouer aussi bien que moi.

Nous perturbons Sanyu pour qu'elle nous montre le contenu explicite des vidéos qu'elle a obtenues de l'œil robotique d'Oncle Moses, celles que nous sommes, selon elle, trop jeunes pour regarder. Elle se dérobe de nous toujours. Babirye lui a dit même que Kato, Kunda et moi prévoyons de pirater son téléphone pour pouvoir les voir. Mais finalement elle affirme les avoir supprimées. Dommage.

La veille de Noël, jouant à un jeu holographique chez Kunda, Babirye se met à crier : « J'ai une idée ! J'ai une idée ! »

Kunda est obligé de mettre le jeu sur pause. « Qu'est-ce que c'est ? »

Nous n'avons d'autre choix que d'écouter.

« Tu te souviens que mon père a dit qu'il ne pouvait pas obtenir de licence pour les Rainmakers parce que le gouvernement pensait que les gens finiraient par voler la pluie d'une partie du pays pour la faire tomber sur une autre, ce qui n'était pas juste ? dit-elle, parlant très vite.

—Viens-en au fait, dit Kato. Je suis sur le point de vous battre cette fois-ci !

—C'est ce que les Rainmakers devaient être en train de faire ! »

Nous la fixons du regard, sans saisir de quoi fichtre elle peut bien parler.

« Il y a des endroits qui n'ont pas besoin de pluie, donc les Rainmakers peuvent être utilisés pour rediriger la pluie vers les endroits qui en ont besoin. Par exemple, connaissez-vous cet endroit à l'Est où chaque année il pleut si fort qu'il y a des inondations et des glissements de terrain ?

—Autour du Mont Elgon ? demandé-je.

—Oui, c'est cela, répond Babirye. Le gouvernement peut utiliser les Rainmakers pour déplacer la pluie de cet endroit et peut-être l'acheminer vers le lac Victoria. »

Je hoche la tête et dis :

« C'est génial !

—Je n'arrête pas de vous dire que ma sœur est très intelligente, mais vous ne me croyez pas », dit Kato.

Babirye lui donne un coup de coude dans les côtes.

« Aïe ! dit Kato, feignant la douleur.

—Appelons Oncle James et dis-lui ! » lance Kunda, excité.

Je passe un appel vidéo sur mon téléphone. Oncle James répond, son visage remplissant l'écran du téléphone.

« Bonjour les gars ! Comment allez-vous ? dit Oncle James.

—Nous allons bien, dis-je.

—Papa, nous avons un excellent projet et nous pensons que tu aimeras », dit Babirye. Puis elle développe son idée.

Après avoir écouté, Oncle James ne dit rien pendant un certain temps.

Je demande enfin :

« Qu'en pensez-vous ? Le suspense est insoutenable.

—Sensationnel ! dit Oncle James. Absolument sensationnel ! Vous êtes des génies !

—Alors, combien d'argent gagnerons-nous avec les Rainmakers une fois que le gouvernement vous donnera une licence ? demande Babirye.

—Bonne question, Babirye, dit Oncle James. Puis-je y réfléchir avant de vous répondre ?

—Bien sûr », dit-elle.

Oncle James met fin à l'appel.

Je regarde dans les yeux brillants de Babirye. Elle est si fière d'elle-même que son cœur lui sort de la poitrine. Dieu, c'est la plus belle fille que j'aie jamais vue !

« Je pense que je t'aime. » En lâchant soudain ces mots, tout le reste de la pièce s'estompe. « Veux-tu sortir avec moi prendre une glace ?

C'est comme si j'avais aspiré tout l'air contenu dans la pièce. Je répète ce moment depuis des semaines, mais je n'avais pas pensé que ça se passerait comme ça. Ce ne sont pas les mots que j'avais prévu d'utiliser.

Zut ! Je suis si stupide !

Kunda et Kato ricanent. Sanyu s'occupe soudain de son téléphone, comme si de rien n'était.

Quant à Babirye, ses yeux s'écarquillent comme des soucoupes et sa mâchoire tombe. Puis elle couvre sa bouche ouverte avec ses deux mains.

Le temps s'arrête. Les trois secondes entre le moment où je laisse échapper mes absurdités et celui où elle dit enfin quelque chose me paraissent un milliard de minutes.

Je retiens mon souffle.

Dis oui, je t'en supplie !

« Attends ! dit Babirye. Tu plaisantes, n'est-ce pas ? »

Puis elle éclate de rire.

Kunda, Kato et Sanyu se joignent à elle. La tension dans la pièce redescend.

Je me joins aux rires. Mais la pression dans ma poitrine demeure, avec une sensation de flottement qu'il m'est impossible de décrire.